Simona Morani

Quasi arzilli

Questa è un'opera di fantasia.
Ogni riferimento a fatti e persone realmente esistiti è puramente casuale.

www.giunti.it

© 2016 Giunti Editore S.p.A.
Via Bolognese 165 – 50139 Firenze – Italia
Piazza Virgilio 4 – 20123 Milano – Italia

Prima edizione: marzo 2015
Prima edizione tascabile: giugno 2016
Per accordo di Thésis Contents S.r.l., Firenze-Milano

«*Ho tentato di riaddormentarmi. Devo esserci riuscito, perché stamattina mi sono risvegliato.*»

Daniel Pennac, *Il paradiso degli orchi*

Prologo

Incubo al chiaro di luna

Era un suono secco, regolare, sostenuto. Da dove venisse, Ettore non era in grado di dirlo: poteva arrivare da sinistra o da destra, da lontano o da vicino. Impossibile riuscire a orientarsi in quelle tenebre. Il rumore aveva il ritmo di un passo allenato, e allo stesso tempo conteneva qualcosa di legnoso. Ecco, ora si arrestava del tutto. Ora riprendeva il suo battito con un'eco ovattata. Ettore cercava di raccapezzarsi ma la testa era pesante come se avesse dormito per due giorni di fila. No, non erano passi, quelli, erano nocche che picchiavano contro qualcosa. Una porta, un mobile o roba simile. E non era nemmeno tanto lontano come gli era sembrato poco prima (a proposito, che ora era?), no anzi, tutto il contrario. Sembrava che qualcuno bussasse proprio di fronte a lui, a pochi centimetri di distanza. Tracciando una linea immaginaria tra il punto di provenienza del rumore e il suo corpo, la linea lo avrebbe raggiunto all'altezza dell'ombelico. Ma dov'era? Non si poteva accendere la luce? Era in piedi o disteso? Cercò di aprire le braccia ma non ci riuscì. Era bloccato da due pareti strette che gli impedivano i movimenti... e se quelle nocche battevano contro una porta davanti a lui, be', voleva dire soltanto una cosa: si trovava in una stanza minuscola. O in un armadio. O comunque uno spazio tremendamente claustrofobico. Una bara forse? Come ci era finito là dentro?

«Svegliati! Svegliati!» Dall'altra parte qualcuno lo chiamava.

«Allora, quanto ci metti a uscire di lì? Datti una mossa!» Riconobbe subito la voce. Era alta, potente, decisa. Era la voce del suo amico Ermenegildo.

«Ermenegildo, ma cosa ci fai qui? Che ore sono?» gli chiese stupefatto. Eh già, una reazione logica perché, dopotutto, Ermenegildo, che fino a poco prima aveva visto al bar insieme agli amici, da qualche giorno se ne era andato... per sempre.

Il cuore di Ettore cominciò a battere furiosamente. Cacciò un urlo e finalmente si svegliò. Era madido di sudore, ma sentiva freddo; il gelo gli si era infiltrato nelle viscere. Accese la luce. Era nel letto, in camera sua, nel mondo reale. L'orologio segnava le tre e quaranta. Mancavano più di due ore all'alba e sentiva che non si sarebbe più riaddormentato. Non dopo un incubo simile.

Ermenegildo lo aveva chiamato a sé, nel mondo dei morti. Ma perché proprio lui tra tutti? Pensò agli altri amici del bar che, per un motivo o per l'altro, meritavano la precedenza. Gino era molto più vecchio, Riccardo aveva vissuto in modo dissoluto, e Basilio, con quel carattere da tiranno... Ettore si sfregò il viso. Che discorsi erano quelli? Si sentì così mortificato e colpevole che iniziò a cogliere i primi sintomi di un malore: un senso di oppressione sopra lo sterno, un offuscamento della vista e uno strano prurito dietro al ginocchio destro. Infilò la giacca e uscì a fare una passeggiata. La brezza faceva oscillare le foglie dei suoi filari d'uva mentre la luce della luna li profilava d'argento. Ettore si sentì subito meglio.

Non era stato nulla di grave, si disse, soltanto un leggero mancamento, un calo di pressione. Tra poco sarebbe giunta l'alba e avrebbe fatto il suo solito giro al bar. Avrebbe continuato a fare quello che aveva sempre fatto perché non c'era nessun bisogno di cambiare le cose. Al massimo, sarebbe andato dal dottore, così, per precauzione. Non si ricordava neanche l'ultima volta che era andato da un medico. A lui medici e ospedali facevano venire l'orticaria perché, come gli diceva sua madre da piccolo, «prima di andare dal dottore stavo benissimo».

Il sogno di Ermenegildo, però, non lo faceva stare tranquillo. In fondo, una visita veloce non avrebbe dato fastidio a nessuno. Sì, decise, per una volta sarebbe andato dal dottore.

1

Una scommessa innocente

«Io dico che è la Iole.»

«Secondo me è la Greta.»

«La Iole.»

«E t'ho dit ch'l'è la Greta, sa vot scomèter?»

«Un caffè alla sambuca che è lei.»

«La Greta?»

«La Iole!»

«Affare fatto.»

Il pugno sul tavolo risuonò nella stanza fumosa e gli odori di caffè, vino stantio, sigaro e acqua di colonia si mescolarono nell'aria. Le campane della domenica avevano appena finito i loro rintocchi stonati e ora dalla strada si udivano di nuovo lo scalpiccio dei tacchi, il vociare delle comari, lo stridere dei freni delle biciclette e i latrati dei cani.

«Non sono belli questi discorsi.» Ettore si fece largo tra le giacche di panno attaccate agli schienali delle sedie e prese posto al tavolo dei compagni. «Se don Giuseppe ci sentisse non sarebbe mica tanto contento.»

Si fece un rapido segno della croce e ordinò il solito alzando il mento. Elvis finì di risciacquare un paio di calici e gli portò un quartino di rosso con le mani ancora gocciolanti.

A quel punto l'atmosfera era pesante e si giocava a briscola distrattamente e con poca convinzione.

«Allora come la mettiamo?» domandò Cesare, inquieto.

«Dobbiamo andare a vedere.» Gino chiuse la partita gettando le carte sul tavolo e provocando esclamazioni di malcontento. Si alzò con estrema lentezza e arrancò fino al cortile del bar. Rimase lì esposto alla vista dei passanti a studiare le ombre che lo circondavano. Non udì minacce né insulti e da ciò dedusse l'assenza di Corrado, il nuovo sbarbatello della polizia municipale. Svoltò dunque indisturbato verso il garage dietro al bar e s'infilò nella vecchia Ape verde acqua venata di ruggine.

L'aveva comprata nell'inverno del 1994, dopo che quelli della motorizzazione, alla visita medica, gli avevano annunciato in via definitiva che era diventato un pericolo ambulante e che questa volta la patente non gliel'avrebbero rinnovata neanche a forza di mazzette, culatelli e forme di Parmigiano. Allora si era fatto coraggio e all'alba successiva il Domenichini l'aveva trovato davanti alla cancellata del suo centro di rottamazione. Una montagna di veicoli in stadio terminale già pressati l'uno sull'altro, molti irriconoscibili, altri ancora segnati dal proprio vissuto: una lunga cicatrice sulla portiera, un Arbre Magique stinto dal sole, un "Anche tu un giorno creperai" scritto a indice sul parabrezza. Allora, tanto valeva crepare insieme, si disse Gino, e rimase ancorato al volante della Panda color volpe fino all'orario di apertura dei cancelli.

«Be', cosa fai, non scendi?» chiese il Domenichini quando tutto fu pronto.

«No. Senza patente la mia vita non ha senso. Rottamaci tutti e due» rispose caustico Gino.

Seguirono pestoni, spinte, puntellamenti, fino al momento in cui il Domenichini ebbe l'"epifania".

«Guarda laggiù. La vedi quella?»

«No, sono orbo. Lasciami morire.»

«Quell'Ape, là, di fianco al fuoristrada.»

«Cosa c'ha?»

«È una testa dura come te. Sette proprietari, quattro incidenti, due furti e altrettanti ritrovamenti. Quindici paesi attraversati, centottantamila chilometri e ancora fila via come il vento. Prendila, te la regalo, ma vivi, per Dio!»

«E con i documenti?»

«Lascia perdere i documenti. Ti do io una scartoffia in cambio della Panda, e per la motorizzazione non esisti più.»

Nel momento della stretta di mano, il Domenichini seppe una grande verità: aveva allungato una vita, ma ne aveva messe in pericolo molte altre.

«Bada che questa signorina qua campa più di te.» L'aveva salutato, infine, in un ammonimento dal sapore profetico.

Gino si piegò in avanti per mettere a fuoco la fessura sul cruscotto, tastò col pollice calloso e provò più volte a infilare la chiave. Erano finiti i tempi in cui la Sandra, la giovane assistente del comune, durante i suoi turni bisettimanali gli disegnava col pennarello un cerchio rosso fuoco attorno alla serratura. Erano finiti il bel giorno in cui lei gli aveva detto: «Gino, da sola non ce la faccio. Lei ha bisogno di un aiuto professionale più costante. Stanno ristrutturando la nuova casa di riposo, perché non ci fa un pensierino?» E lui SLAM! L'aveva buttata fuori di casa e non le aveva riaperto mai più. E adesso le conseguenze di quel gesto reazionario erano tutte concentrate lì, in quell'anello di pennarello rosa sbiadito troppo vago e lontano per essergli d'aiuto.

«Fammi vedere che ci penso io!» Con il suo fare cameratesco, Basilio, ex comandante della ventiseiesima Brigata Garibaldi, aveva infilato il testone irsuto all'interno del piccolo abitacolo e stava cercando di afferrare le chiavi con artigli di rapace. Gino scrollò le braccia per toglierselo di torno. «Ah, ma t'è propria un rompibali!

Son vent'anni che accendo 'sto catorcio sei volte al giorno, sgund'
te, an so mia com'al funsiouna?»

«Stai infilando la chiave di casa.» Una voce remissiva si era in-
tromessa tra i due. Gino si voltò e questa volta davanti al finestrino
gli apparve il volto nebuloso di Ettore che lo guardava col suo solito
sguardo premuroso e paziente, e dietro di lui le capocce di Basilio,
Cesare e Riccardo in religiosa attesa. Sbuffò e con un colpo di
gomito fece rombare il motore della vecchia carretta. A quel rutto
d'oltretomba Basilio s'impettì d'orgoglio: gliel'aveva truccata lui.

Contrariamente a ciò che si poteva pensare, non l'aveva fatto
per far uscire dai gangheri il vigile Corrado. Un primordiale istinto di sopravvivenza gli aveva suggerito di architettare un artificio
affinché la gente del paese riconoscesse subito l'impellente avvicinarsi di Gino e facesse in tempo a mettersi al riparo.

«Be', allora, qua dietro c'è posto, chi monta su con me, teste
d'asino che non siete altro?»

«Vai pure da solo che noi t'aspettiamo qua» risposero quasi in
coro facendo tutti un bel passo indietro.

Gino li mandò a quel paese con un tremolante gesto del-
l'avambraccio, abbassò il freno a mano e, con gran cigolio di ruote,
raggiunse l'apice della salita. A quel punto dolcemente, si lasciò
scivolare per i tornanti della montagna.

Il vento primaverile, profumato di campo e di cielo pulito, entrava
da ambedue i finestrini e gli solleticava la testa con i suoi spifferi
ribelli. I ciuffi di capelli bianchi gli facevano prudere le orecchie e
le sopracciglia lunghe, che gli davano una solenne espressione da
vecchia civetta, gli si piegavano come tendine sugli occhi. Passò
davanti all'edicola, al distributore di benzina e al negozio di ortofrutta chiuso per cambio di gestione dopo la dipartita del vecchio
Ermenegildo. Sentì risuonare la risata cristallina del compagno

da poco scomparso come se invece non fosse scomparso affatto ma gli stesse seduto di fianco, e questo gli procurò un improvviso sconvolgimento del battito cardiaco.

Si fece coraggio, raggiunse il parcheggio alla sede della Croce Rossa e lì inchiodò, centrando in pieno il cespuglio di un'aiuola e svanendo in una nuvola di polvere. Riapparve poco dopo come uno zombi scalcinato davanti al grande pannello delle affissioni e, barcollante, cercò tra gli annunci e le locandine delle sagre paesane. Nella piazzetta tre bambini stavano giocando a palla e si rincorrevano tra gridolini e schiamazzi per poi immobilizzarsi in posizioni precarie come manichini.

«Ehi, tu, ragasèt!» Gino chiamò quello più vicino a lui.

Nessuno rispose.

«Ohi, dico a te!»

«Mi chiamo Michela!» rispose la bambina indignata, abbandonando la posizione-manichino. Gli altri due ragazzini si sganasciarono dalle risate e sospesero il gioco.

«Ah» Gino si stropicciò gli occhi collosi, continuando però a vedere la sagoma di un maschietto in pantaloncini corti che gli ricordava suo figlio Nicola mezzo secolo prima, quando le foto erano ancora in bianco e nero con lo stesso bordo merlettato della pasta fatta in casa, e la strada che aveva appena percorso una carraia di sassi di fiume.

«Sai leggere, Michelina?»

«Ovvio, faccio già la terza elementare» precisò lei con una punta di saccenza. Di nuovo pernacchie e sghignazzi si levarono alle sue spalle.

«Bene. Dimmi cosa c'è scritto là sopra» ordinò Gino indicando gli annunci. I bambini a quella richiesta si zittirono all'istante. Michela annuì, fece due passi avanti, si schiarì la voce e intonò:

«Iole Dolci, vedova Lorenzi, anni ottantatré. Ne danno il triste annuncio la sorella Greta, i figli Fernando e Ignazio, i cugini Paolo e Giambattista, le nipoti Gisella, Berenice, Cosetta e i parenti tutti. I funerali si terranno martedì alle ore quindici presso la Chiesa di Santo Stefano».

Gino piegò la testa e rimase a occhi chiusi per lunghi secondi. Sembrava caduto in un letargo improvviso. I bambini si scambiarono occhiate interrogative fino a quando il vecchio si rianimò di colpo, risvegliato da un respiro colmo di malinconica accettazione.

Deglutì saliva amara e disse infine: «Brava Michelina, hai letto proprio bene. Ora potete tornare a giocare».

Si diresse di nuovo all'Ape che ritrovò inspiegabilmente mezza sepolta in un complicato intrico di bosso e ferraglia. Si voltò, infilò due dita in bocca e tirò un fischio che fece svolazzare via uno stormo di colombi.

La vecchia Cordelia, l'Arcigna Pettegola delle Casette di Sotto, che dalla finestra seguiva tutta la scena nascosta dietro le tende della cucina, vide il vecchio e i bambini tirare fuori l'Ape dall'aiuola, e poi Gino salire e di nuovo i bambini dietro, piegati a spingere il trabiccolo giù per il rettilineo fino a quando il motore – per grazia ricevuta – rombò e li lasciò lì, in mezzo alla strada, tramortiti da una scarica di gas.

Gino rifece il percorso al contrario, risalì le curve e i brevi rettilinei con la fatica di un salmone nell'ultimo viaggio controcorrente, imboccò lo spiazzo del bar senza mettere la freccia, svoltò sul retro, puntò al garage di Elvis già spalancato e vi s'infilò pregando Iddio di centrare il buco anche questa volta.

Nell'udire il boato inconfondibile, i compagni del bar accorsero in cortile e si adoperarono, strusciando accuratamente le scarpe sulla ghiaia, per cancellare in fretta e furia ogni traccia del suo passaggio. Cesare si sistemò gli occhiali sul naso, si affacciò in strada, diede una controllatina in giro e tirò un sospiro di sollievo.

«Tutto a posto ragazzi, via libera!»

Dunque lo accerchiarono, ormai curiosi di scoprire i vincitori delle scommesse che erano partite nel frattempo e delle quali ognuno di loro, in cuor proprio, si vergognava un po'.

«Allora, era la Greta o la Iole?» Cinque paia di occhi lo scrutavano con trepidazione.

Gino si fermò, appoggiò un braccio sul fianco e raddrizzò la schiena facendo risuonare una serie di impressionanti scricchiolii nell'aria. Sbatté le palpebre, scrocchiò la mandibola, si massaggiò la cervicale, temperò un indice prima in un orecchio e poi in quell'altro per far mente locale e alla fine emise un lungo sospiro catarroso.

«Porco cane!» si batté una mano sulla fronte, sconfitto, «non me lo ricordo!»

2

Un paziente difficile

«Il prossimo.»

Ettore si alzò dalla sedia porgendo il cartoncino con il numero ventisette. Prendeva sempre l'ultimo della pila di foglietti scritti a mano che il dottor Minelli aveva preparato per evitare discordie in sala d'attesa. Entrò in ambulatorio in punta di piedi per non disturbare anche se nella sala non era rimasto più nessuno. Arrivava sempre verso le nove e mezza; lo faceva apposta per trovare l'atrio pieno di gente. Era il suo modo per distrarsi e far passare la mattinata godendo della grazia di una giovane donna, dell'ingenuità di un bambino, del frusciare allegro delle pagine di frivoli settimanali colorati, sfogliati da indici smaltati di rosso.

Occasionalmente gli sedeva accanto Orvilla la Gattara, un'anziana dalle mani nocchiute e piene di cicatrici che teneva sempre avvinghiate alla maniglia della sua inseparabile gabbietta. Dentro vi era di solito un qualche gattaccio emaciato che Orvilla sperava di far guarire dal dottor Minelli nonostante lui la rimandasse puntualmente indietro. Ma la gabbietta era per lei uno strumento multifunzionale che fungeva inoltre da borsetta, cestello della spesa, portabiancheria, valigetta degli attrezzi e via discorrendo. Non di rado si univa al cicaleccio di Cordelia e delle altre pettegole per ingannare l'attesa. Ettore le ignorava. Non voleva turbare quei preziosi momenti di compagnia con brutti pensieri; quelli sarebbero venuti dopo, quando il dottor Minelli avrebbe chiamato l'ultimo numero della mattinata e lui si sarebbe infilato in ambulatorio.

«Buongiorno Ettore, si accomodi. Come andiamo stamattina?»

«Mah, siamo ancora qui» sospirò in risposta e si sedette sulla seggiola di fronte al dottore.

L'odore di disinfettante impregnava la stanza. Il calendarietto da tavolo segnava un numerino in più rispetto a ieri e ciò ricordò con sollievo a Ettore che un altro giorno era trascorso e lui ne faceva parte. Invece la clessidra sulla mensola in alto, così nuda, senza numeri né parole, né altri riferimenti terreni, con quella sabbiolina bianca che sfuggiva inesorabilmente senza possibilità di arresto né ritorno gli faceva formicolare le guance e girare la testa. Distolse lo sguardo e si sbottonò la manica della camicia.

«No, non si sbottoni. La pressione ieri andava bene, aspettiamo ancora un po' prima di riprovarla.»

Ettore annuì col capo, docile, e si riordinò.

«Com'è andata questa notte?»

«Un attacco di panico, solo uno. Verso le quattro.»

Il dottor Minelli intrecciò le dita e ci appoggiò sopra il mento. «E cos'ha fatto?»

Ettore sfilò il fazzoletto di cotone quadrettato e iniziò nervosamente a stropicciarlo.

«Ho provato una tecnica *nuova*» sbirciò di sottecchi la reazione del dottore. «Una che mi sono inventato da me.»

«Ah, sì?» il medico si raddrizzò e si lasciò cadere all'indietro contro lo schienale in pelle.

«Sì,» confermò con riserbo Ettore «ho acceso la luce e ho cercato di concentrarmi sugli oggetti della casa.»

Praticamente tutto il contrario di quell'altra. Al solo ricordo gli salì un brivido freddo lungo la schiena. Apparentemente una banalità, la tecnica che gli aveva consigliato il medico consisteva nel distendersi al buio, nel più completo silenzio, con le mani sulla pancia e fare lunghi respiri concentrandosi sul battito del proprio cuore. Tu-tum… tu-tum… tu-tum… tu-tum… Non era nemmeno arrivato al quinto battito che un impeto viscerale e mostruoso lo aveva ribaltato dal letto, come se nella sua cassa toracica una fiera invisibile si fosse risvegliata e si dibattesse per liberarsi da quella trappola di costole umane.

In preda al panico, si era attaccato all'interruttore della luce sudando veleno freddo e aveva avuto bisogno di venti minuti per riprendersi. Che tecnica dannata! Che fregatura quel dottorino alle prime armi!

Era stato lì, aggrappandosi prima all'abat-jour, poi al comodino, poi tastando il muro freddo e granuloso e poi la superficie liscia dell'armadio, che gli era venuta in mente l'idea degli oggetti. La consistenza solida di ciò che lo circondava, di quelle suppellettili familiari e rassicuranti, lo aveva fatto ritornare lentamente nel qui e ora, nei limiti della materia e nella dimensione del tempo umano. Continuò quindi a toccare, annusare e perlustrare fino a quando il giro per la casa lo riportò dritto da dove era partito, in camera sua. Si rinfilò sotto le lenzuola ancora calde e rimase con gli occhi sbarrati verso la lampada accesa. Solo il primo chiarore dell'alba lo convinse a spegnere l'interruttore.

«E ha trovato giovamento questa volta?»

«Mi è un po' passata… ma non sono riuscito a dormire lo stesso» confessò a testa bassa.

Il medico annuì serrando le labbra e disegnò, con un solo tratto, due semicerchi sulla carta che a prima vista potevano ricordare due ali di gabbiano o un cuore a metà. Si trattava, in realtà, della rappresentazione stilizzata del culo tondo, dorato e burroso della Marilena con la quale aveva passato una domenica di passione.

Partiti all'alba, in motocicletta, senza una meta precisa, avevano preso la direzione della montagna, ed erano arrivati sulla vetta all'ora di pranzo, quando il sole sembrava spargere diamanti sul lago dei pesci gatto. Avevano pranzato in un ristorante dalle travi in legno tra il profumo dolce dei gerani e quello pungente della griglia. Dopo il sorbetto al limone, la Marilena si era scusata ed era andata in bagno a sostituire i pantaloni da moto con un vestitino di cotone corto così. Si erano incamminati per i sentieri brulli e avevano cercato una roccia dietro cui ripararsi. La Marilena allora aveva alzato la gonna, e, con immensa meraviglia del dottor Minelli, sotto non indossava nulla. Neanche il tempo di osservare più da vicino, che lei già gli era saltata a cavalcioni col rischio che arrivasse qualcuno da un momento all'altro.

«Lo senti anche tu?»

«Cosa?»

«Mi sa che sta arrivando qualcuno!»

Allora, in pochi circoscritti colpi di bacino lo aveva fatto venire dentro, e poi era scoppiata a ridere mentre ancora ansimava e aveva detto «sei pazzo!» come se l'idea non fosse stata sua. Al solo ricordo il dottor Minelli avvertì una forte erezione crescergli nei pantaloni e si sforzò di contenerla concentrandosi sull'unico dente di Ettore, che scompariva e riappariva tra una parola e l'altra.

«Mmm. Capisco. Ha mangiato leggero per cena?»

«Gliel'ho appena detto, dottore, il solito minestrone.»

«Giusto. E con la valeriana?»

«L'ho smessa» ammise Ettore, «ho notato che m'intontisce e basta, allora non la prendo più. Preferisco rimanere lucido.»

«Però così non miglioriamo» lo rimbrottò il Minelli con il tono di un padre, nonostante all'anagrafe avrebbe potuto essere suo figlio, se non suo nipote.

Si sfilò gli occhiali, cercando di mantenere la pazienza: «Si beva almeno una tisana di melissa, tiglio o camomilla, se proprio non vuole prendere medicinali».

Ettore annuì fiaccamente per farlo contento e si alzò per uscire. Cosa poteva saperne lui, del suo male? Lui non poteva capire. Era troppo giovane per capire. Che cretino a illudersi così ogni giorno! L'aveva pensato anche il giorno prima e quello prima ancora, eppure oggi era di nuovo tornato a raccontargli cose che non poteva capire.

«Lo sa che ho contato sessantatré oggetti in tutta la casa? In ottantaquattro anni di vita. Non è un gran patrimonio, eh?»

Le parole gli uscirono così, un po' stridule per strozzare il magone, rivolte verso la porta che stava per varcare, di nuovo col cappello in testa, rassegnato ad affrontare l'empietà della vita di fuori.

«E lo sa cosa faceva più male?» insistette per coprire il silenzio.

«Mi dica» lo incoraggiò il Minelli.

«Che c'erano soltanto cose mie. Il pentolino in cui riscaldo la minestra, il cucchiaio di legno che uso per mescolarla, la lametta da barba, un pettine, due vestiti nell'armadio. Non mi serve neanche più lo spazzolino.»

Unì le mani in una pausa colma di desolazione.

«Quando me ne andrò non avrò nulla da lasciare, né oggetti di valore, né ricordi. Ma peggio ancora, non ci sarà nessuno a raccogliere i miei due stracci. Come se non fossi mai esistito.»

Il medico gli si avvicinò, dopo avere dato una rapida sbirciatina all'orologio.

«Ettore, se ne faccia una ragione. Ermenegildo era malato, invece lei è sano come un pesce, può vivere ancora tanti… diversi anni in serenità…»

Ettore s'incupì immediatamente nel sentir pronunciare il nome dell'amico e alzò la mano per fermare il Minelli.

«Non parliamone più…»

«Come vuole lei, ma credo che…»

«A proposito, dottore, ho dimenticato di dirle che ieri sera mi son seduto per sbaglio su una vespa e adesso mi è saltato fuori un bugnone grosso così proprio sulla chiappa destra» si ricordò d'un tratto Ettore. «Lo vuole vedere adesso o facciamo domani?»

Il dottor Minelli strabuzzò gli occhi e allargò un braccio per accompagnare l'anziano oltre la porta.

«Veramente adesso avrei un invito a pranzo… le fa molto male?»

«Mah, non direi…»

«Allora una cosa alla volta, Ettore. Il bugnone lo guardiamo domani.»

3

Un facile bersaglio

Di fronte alla scrivania vuota, il vigile Corrado giocherellava con il distintivo. Aspettava in piedi l'arrivo del sindaco che lo aveva convocato per tirare le somme del proprio operato durante il suo primo anno di attività in paese. Ogni tanto faceva una breve passeggiata, circolare e nervosa, nella piccola stanza, tenendo le mani sui fianchi. Tra un passo e l'altro, rimuginava sulla propria vita e sui cambiamenti che quel trasferimento in montagna aveva prodotto su di lui. Si contemplava la divisa, i bei pantaloni a sigaretta, il cinturone bianco, i bottoni della giacca lucenti come oro. Era come se solo il fatto in sé di indossare abiti ufficiali avesse fatto di lui una persona nuova. Lui si sentiva davvero una persona nuova, eppure i frutti tardavano ad arrivare.

Al centro di quella stanza vuota ripensava al suo passato. Gli ritornò in mente una scena della quarta elementare: lui inginocchiato in un angolo della classe mentre i compagni lo additavano e lo prendevano in giro per il mento asburgico e il naso da pugile. Poi alle scuole medie erano arrivati gli occhiali da vista e alle superiori l'acne pustolosa. La fiducia in se stesso era ormai minata. Anche una volta chiusa la parentesi scolastica e attenuati gli inestetismi dell'adolescenza, non era più riuscito a riscattarsi, nemmeno sul lavoro. Aveva provato a fare il venditore ambulante, ma l'insicurezza che emanava da ogni poro della pelle spingeva inconsciamente i clienti a cacciarlo via in malo modo. Era quindi approdato in una ditta di trasporti, ma il capo aveva subito intuito che poteva tirannizzarlo a piacimento, e infatti lo fece sin dal primo giorno rendendogli la vita un inferno. Finalmente, un anno e mezzo prima, gli era arrivata la telefonata della svolta da parte dello zio Goffredo, sindaco di una località sconosciuta tra i boschi dell'Appennino reggiano. Al telefono lo zio Goffredo gli aveva detto: «Se studi il minimo per evitare una magra figura all'esame, il posto nella polizia municipale è tuo». Avrebbe dovuto abbandonare la sua cittadina industriale della bassa per trasferirsi nelle campagne, ma ciò che gli si prospettava in cambio non aveva pari: il potere di dare ordini con la consapevolezza che chi gli stava di fronte non aveva altra scelta che rispettarli.

Al suo arrivo gli effetti del nuovo ruolo erano stati immediati. Uscito dal Municipio, con il timbro ancora fresco sul tesserino, gli era venuta incontro una piccola rappresentanza femminile del villaggio: era la banda di Cordelia determinata a rendergli omaggio attraverso la condivisione dei propri saperi.

Corrado si era seduto sul muretto del monumento ai caduti e, con le mani appoggiate alle ginocchia, si era lasciato istruire. La canuta delegazione lo aveva informato subito del gruppetto di decrepiti che si era insediato al bar La Rambla. Questi, col consenso del proprietario, presidiavano il locale, tenevano lontano gli estranei, specialmente le donne e i bambini, contravvenivano al divieto di fumare, facevano uso smodato di alcolici e si giocavano cospicue parti delle loro pensioni in partite a carte.

Tra tutti era emerso un personaggio che Corrado aveva personalmente eletto come suo primo incarico ufficiale di facile soluzione: Gino, un novantaseienne quasi cieco che pericolava per le strade con l'Ape senza patente né assicurazione.

Se nessuno finora si era preso la briga di fare giustizia, lui non era disposto a scendere a compromessi e si era più che mai intestardito a ritirargli la vettura e a dargli una punizione pecuniaria che si sarebbe ricordato per i pochi giorni che gli restavano su questa terra. Al bando i putridi! Il mondo era fatto per le giovani leve.

Coglierlo sul fatto si era rivelato tuttavia più problematico del previsto. Nonostante fosse in netto svantaggio fisico, Gino giocava pur sempre in casa, per giunta da un bel po' di tempo, e a un anno dall'arrivo di Corrado, era riuscito a evitarlo come la peste. Il vigile ormai si era incaponito, e ogni volta che l'Arcigna Pettegola gli urlava «edlà!» lui mollava tutto e si precipitava di là. E ogni volta che l'Arcigna Pettegola gli urlava «edsà!» lui mollava tutto e si precipitava di qua. Ma quando arrivava sul luogo della contravvenzione, niente vi trovava, se non un gran polverone e qualche contadino col forcone in mano che sghignazzava alle sue spalle.

Sembrava che anche quella insignificante comunità di montanari facesse di tutto per posticipare il più possibile la sua autorealizzazione. Ma a differenza della vita precedente, lui ora aveva, dalla sua, la forza della legge ed era determinato più che mai a imporsi con l'autorità di cui era stato investito.

«Tuo zio ha appena chiamato. Arriva con mezz'ora di ritardo.»

Corrado alzò il mento prominente e vide la faccia scialba della segretaria che faceva capolino dalla porta. Non gli piaceva per niente quel tono confidenziale. È vero che il sindaco era suo parente, ma non c'era bisogno che lo si sbandierasse a voce così alta, né che la sua persona fosse interpellata con così poca deferenza. In fondo, si trovava in servizio, l'uniforme esigeva determinate maniere.

«Be', io non posso stare qui mezz'ora» rispose a voce altrettanto forte per chiarire bene i ruoli nella gerarchia.

«Allora fatti un giro e poi torna» rispose la segretaria risoluta.

Corrado sbuffò, rifletté sul da farsi e poi uscì scuotendo la testa con il vezzo di chi ha un mucchio di cose da fare e sta perdendo minuti preziosi per colpa di qualcun altro.

S'incamminò svogliato per un giro di ricognizione e, adocchiata La Rambla, gli venne il ghiribizzo di improvvisare una visita a sorpresa. Si avvicinò con garbo per non farsi riconoscere da lontano. Sul ghiaino del cortile trovò strisciate che lo obbligarono a fermarsi quel tanto che bastò a proiettare l'ombra minacciosa della divisa sulla vetrata del bar.

Da dentro Basilio lo avvistò: «Urca, c'è Corrado!» sibilò tra i denti. «Forza, muoviamoci!»

Si passarono di mano in mano i portacenere stracolmi di cicche fino ad arrivare a Elvis che prontamente li buttò nel sacco delle immondizie e li coprì con scarti di caffè. Sventolarono le braccia nell'aria per dissimulare il puzzo di tabacco.

Riccardo si sforzò di mollare uno dei suoi celebri peti atomici. Niente. Come al solito, al momento del bisogno non gli venivano mai. Ormai Corrado aveva già aperto la porta e fissava tutti uno a uno con l'aria di chi aveva il gatto nel sacco.

«Cos'è questa puzza di fumo?» la sua voce tonante si disperse nella nebbiolina della stanza.

«Quale fumo?» risposero più o meno all'unisono, sfiutazzando con aria innocente.

«Te, Riccardo, senti del fumo?» fece Basilio, candido.

«No, no. E te, Cesare, senti del fumo?»

«No, nemmeno io. Non sento proprio niente.»

«L'è al tostapàn ch'al va mia pù tan bein…» si giustificò Elvis aprendo la finestrella dietro al bancone.

«Oh, ma quale tostapane! Non raccontate fesserie!» Corrado avanzò tra i tavoli alla ricerca dei mozziconi. «C'è un fumo qua dentro che neanche un incendio. Siete degli svergognati!»

Fece un giro della tavolata e riconobbe la figura curva e pendente di Gino che in tutto quel tempo se n'era rimasto zitto.

«E tu, Gino, come ci sei arrivato fino a qui? Dove lo nascondi quel ferrovecchio?» lo punzecchiò.

«Non so di che cazzo parli» la risposta arrivò rauca da un'ombra opaca nell'oscurità. L'orgoglio di Corrado fu ferito da una risata collettiva.

«Lo sai benissimo invece» alzò la voce, avvampando di rabbia «lo sapete tutti di cosa sto parlando.» Fece un passo in avanti facendosi largo tra la cappa pestilenziale.

«Dài, Corrado, lascialo in pace, no? Ha solo questo bar e tre povere galline. Che male ti fa?» lo esortò Cesare.

«Tèsa te, sandròn! Non c'ho mica bisogno della pietà di nessuno, io!» lo zittì Gino all'istante.

Stretto nelle spalle, Ettore stava in un angolo a osservare gli altri.

«Dov'è? Dove la nascondi?» insisté Corrado. Per lui contava solo Gino, la mela marcia che faceva marcire tutto il cesto di frutta.

«Sono venuto a piedi.»

Si udirono di nuovo risatine soffocate. Ettore sentiva il clima farsi più teso, e la sua salivazione diminuire. Iniziò a contare i quadri appesi alle pareti del bar che ritraevano personaggi bianchi e neri con bandane in testa e capigliature appariscenti a lui sconosciuti, ma che a detta di Elvis erano leggende immortali della musica rock.

Corrado strizzò gli occhi con disprezzo e puntò il dito sulla piccola folla.

«Voi! Siete una banda d'incoscienti! Tu, Basilio, che gli trucchi il motore, e voi Cesare ed Ettore che gli spingete quella vecchia carriola per farla partire, e anche te, Elvis, cosa credi, lo so benissimo che gli prepari il caffè col triplo di sambuca prima che si metta in moto. Siete tutti complici del suo gioco criminale. Quando avrà messo sotto un bambino, non venite a piangere da me e a recriminare che avrei dovuto fare qualcosa!»

«Oh, Corrado, smettila di prenderti così sul serio! Le nostre donne sanno gestire da sole i pericoli dei loro figli» replicò Basilio.

«Io faccio solo rispettare la legge. È il mio lavoro.»

«Be', tornatene a Salò a far rispettare la tua legge. Noi quelli come te li abbiamo mandati via a calci in culo settant'anni fa. Qui dentro vige la legge della Rambla e noi ce la caviamo benissimo da soli.» Basilio sputacchiò un pezzetto di stuzzicadenti in segno di spregio. Le orecchie di Corrado erano ormai paonazze.

«E poi le tue sono soltanto illazioni» aggiunse più pacato Cesare. «Non ci hai mai colti sul fatto, ergo, non puoi dimostrare niente.»

«Bravi, bravi, fate tutti comunella, branco di eversivi che non siete altro.» Corrado bucò la cappa di fumo con l'indice, «Io vi avverto però: arriverà anche il giorno dei conti, e com'è vero Iddio, vi manderò tutti all'ospizio!»

Finalmente uscì, e per un breve istante ci fu un meditabondo silenzio.

«All'ospizio?»

«Noi?»

«Buahahahahah!»

Tra le risa generali il gruppo riprese la partita di rubamazzetto lasciata controvoglia in sospeso.

Pochi minuti dopo Corrado era di nuovo in Comune, fremente di rabbia.

«Zio, non li sopporto più, mi fanno ammattire!»

Il sindaco era tornato in ufficio e ora Corrado si sfogava. «Mi ridono in faccia, mi trattano come uno scemo!»

«Chiudi la porta e siediti» disse il sindaco. Corrado si affrettò a eseguire gli ordini.

«Ma perché ti sei così impuntato su quel bar?»

Corrado strisciò la sedia in avanti facendola stridere.

«Perché quei vecchi sono… irritanti, mi danno fastidio. Sono così… rumorosi, sbruffoni, si sentono ancora utili, capisci? Non producono, non consumano, non servono assolutamente a niente, eppure non si danno per vinti. Pretendono e basta. Dovrebbe essere la mia generazione a comandare e invece questi ci tolgono il tempo, le energie. Non riconoscono il nostro valore.» Corrado gesticolava in preda alla paranoia.

Goffredo non capiva dove fosse il problema del nipote. In fondo, più vecchi c'erano in paese e meno lui doveva lavorare. Erano i ragazzini che avevano bisogno di parchi giochi, intrattenimenti serali, attività culturali. In un paese di vecchi, bastava la sagra in primavera, una serata di liscio d'estate e la festa del vino nuovo in autunno che tutti erano contenti.

«Io non la vedrei così se fossi in te» gli spiegò, tranquillo. «Non è vero che i vecchi non consumano. Non sai che giro economico favoriscono nel campo medico e farmaceutico. Sai dove sono stato poco fa?»

Corrado scosse la testa.

«Sono stato a colloquio con il direttore della Villa dei Cipressi. Ormai la struttura è pronta e abbiamo valutato insieme nuove strategie di promozione. Senza l'aumento degli anziani ci saremmo scordati una casa di riposo qui a Le Casette di Sopra. E ti posso già dire che ci porterà un sacco di soldi.»

«Almeno una buona notizia. Si meritano tutti di finire al ricovero quei vecchi arroganti. Dovremmo far chiudere il bar e al suo posto aprire qualcosa di più proficuo, tanto là dentro ci vanno solo loro. Hai mai visto qualcun altro? Mai una famiglia o un autista di passaggio... ti sembra normale?»

Lo zio lo scrutò divertito. «Corrado, ma non te ne sei ancora accorto? Quello è un bar per modo di dire.»

«In che senso?»

«La Rambla prima era gestito dal padre di Elvis e ci andavano tutti. Negli anni Sessanta Elvis è partito, era andato a fare l'alternativo in giro per il mondo a manifestare contro le guerre. Aveva messo su un gruppo musicale. Poi è tornato, la madre si è ammalata, è morta, e poco dopo il padre l'ha seguita, non ha retto al dolore. Oltre al bar, ha lasciato al figlio un gruzzolo che gli sarebbe bastato per vivere senza lavorare un solo giorno. Elvis all'inizio voleva tenere il bar come una specie di sala prove dove passare le giornate da solo a trastullarsi tra alcol e canzoni inascoltabili. Ma un giorno entrarono Ermenegildo e Basilio e gli dissero: "Senti, noi con tuo padre eravamo abituati a venire a prendere il caffè tutte le mattine alle sette meno un quarto e non abbiamo voglia di scendere ogni volta alle Casette di Sotto perché tu hai deciso di passare la tua vita a piangerti addosso. Facci subito un caffè corretto come si deve o qui sfasciamo giù tutto". E così, con il tempo e le insistenze si è formata la compagine che conosci adesso. È diventato un circolo tra amici, insomma, non possiamo farci niente.»

Corrado fece una smorfia sprezzante. «Se vogliono ammazzarsi l'un l'altro a suon di grappini, che lo facciano. Ma permettere a un vecchio cieco di investire qualcuno in pieno giorno quello no, non posso accettarlo!»

«Be', allora perché non lo fermi?»

«Ti sembra una cosa facile? È un anno che cerco di trovare quella maledetta Ape, ma Gino mi sguscia via dalle mani come un'anguilla, quasi conoscesse ogni mia mossa in anticipo…»

Goffredo si schiarì la gola per non lasciarsi sfuggire una risata.

«Devi avere pazienza. Siamo in un piccolo paese e tu non ti sei ancora adattato. In città eri abituato alla rapidità e allo stress, ma qui è il contrario. Qui vince la calma e tu sei ancora troppo smanioso. Le cose qui accadono con lentezza, ti sembra che non succeda nulla per anni, che tutto vada al rallentatore, ma è solo apparenza. L'occasione giusta per i cambiamenti prima o poi arriva, e ti passerà talmente lenta davanti al naso che ti scorderai di esserti torturato a lungo per niente.»

Corrado si mangiucchiò un'unghia, pensoso. «Se lo dici tu...»

Lo zio Goffredo si sfregò la mandibola. Al posto del nipote non avrebbe preso come esca proprio un vecchio malandato, ma si rendeva conto che Corrado aveva bisogno di un atto eroico per soddisfare il proprio ego. Si sentì in parte responsabile: in fondo era stato lui a trovargli quel lavoro, e le voci su un nipote buono a nulla potevano ripercuotersi anche sulla sua immagine.

«Voglio aiutarti» disse rompendo all'improvviso il flusso di pensieri in cui era scivolato. «Per avere Gino in pugno devi parlare con suo figlio Nicola. So che i due non vanno d'accordo. Potresti fartelo amico. Non abita qui, ma viene d'estate in villeggiatura con la moglie. Come vedi, non ti resta che portare pazienza ancora per poco.»

Si sentì bussare alla porta e, prima ancora che il sindaco rispondesse, la testa della segretaria aveva già oltrepassato la soglia.

«È di nuovo in ritardo, signor sindaco. I consiglieri stanno tutti aspettando di là, nella sala della biblioteca.»

«Sì, Graziella, arrivo subito. Tu intanto prepara il caffè.»

«Ne prendo volentieri uno anch'io» s'affrettò ad aggiungere Corrado, alzandosi e lisciandosi i pantaloni.

«Non ci penso neanche. Faccio la segretaria, mica la serva» ribatté secca. Detto questo, Graziella sparì lasciando i due uomini inebetiti a guardarsi l'un l'altro.

4

Penna e taccuino

«Preghiamo.»

La piccola platea si alzò in piedi con una decina di secondi di ritardo, scrocchi di cervicale, echi di bastoni contro le panche e odori sospetti.

«Oh, qualcuno ha fatto la popò!» un'aristocratica signora diede un buffetto al bebè tra le braccia della mamma in piedi alla sua sinistra, e nel contempo tirò qualche composta sniffatina nell'aria nella quale sembrava fosse esplosa un'intera fabbrica di fialette puzzolenti.

«No, mi scusi, sono stato io» precisò per correttezza Riccardo alla sua destra. Distese il lato destro del maglione ed evidenziò con le dita la sagoma del sacchetto post-operazione intestinale che gli penzolava dall'addome: un'appendice grottesca che i medici all'ospedale avevano chiamato "stomia", e che al bar gli amici avevano ribattezzato "al sachèt", o "la sachèta", "la burseina" o addirittura "al marsùpi", così, per sdrammatizzare. Era una pernacchia al fato a cui anche Riccardo si era dovuto abituare per sopravvivere.

«Oh!» la donna vacillò leggermente trattenendo un conato di nausea.

«Siamo qui riuniti per dare l'estremo saluto alla nostra sorella Iole Dolzi. Vorrei iniziare con un solo aggettivo: piissima.»

Nel frattempo l'accento cantilenante di don Giuseppe, con quel buffo difetto di pronuncia che si portava dietro da sempre, riecheggiava dall'alto dell'altare. Don Giuseppe era stato forse la sola consolazione in mezzo secolo di storia delle Casette di Sotto e di Sopra. Quel certo luccichio negli occhi che non accennava a spegnersi nemmeno con l'ingrigirsi dell'iride rendeva le parole consolatorie, quasi gioviali, e questo armonioso connubio di luce e chiacchiere suscitava una bonaria autorità che portava i credenti alla fiducia totale. Loro erano il suo gregge, e lui ne era il pastore indiscusso, questo lo sapeva. Mai si sarebbe immaginato, tuttavia, che qualcuno dalla platea fosse talmente giudizioso da prendere addirittura appunti.

Ettore, penna e taccuino alla mano, ascoltava con orecchi ben aperti, le sopracciglia in implorazione, le occhiaie profonde per la notte insonne e il sudore che gli imperlava la fronte, come se la predica in corso fosse una questione di vita o di morte. Di fatto lo era. Perché le sue notti bianche e gli attacchi d'ansia avevano avuto origine proprio da quel pulpito. O poco prima.

Tutto era cominciato sei settimane prima con il decesso improvviso dell'Ermenegildo. A mezzogiorno aveva mangiato e bevuto, si era lamentato dei programmi in TV che non erano più come una volta, non c'era niente da guardare, neanche il telegiornale e l'aveva spenta. «Meglio sognare!» aveva detto. Si era coricato sul divano per la solita siesta e da lì non si era più mosso. La moglie Severina l'aveva coperto con la trapunta, aveva aperto la finestra che dava sul cortile, scosso la tovaglia e finito le faccende di casa.

Intanto alla Rambla avevano dato il via a una partitella di tressette senza fare troppo caso all'insolito ritardo, fino a quando la porta del bar si era aperta cigolando e, invece del compagno, era entrata una folata di vento proveniente da luoghi sconosciuti, pungente e odorosa di foglie secche e putrefazione.

All'obitorio, davanti al corpo esposto per l'ultimo saluto di familiari e amici, Ettore si era tolto il cappello, si era chinato lentamente sull'amico con il mento tremante, gli occhi strizzati e poi, a poco a poco, aveva sollevato le palpebre e si era sforzato di guardare senza piangere.

La scoperta che fece in quel frangente fu sconcertante: quello lì non era l'Ermenegildo! Scattò all'indietro e alcuni presenti, d'impulso, fecero altrettanto.

Gino lo prese da una parte.

«Mo sa ghet? Cosa cavolo ti prende?»

«L'… l'… l'et vist anca te?» balbettò di rimando.

«Sì, l'ho visto. Perché, cos'ha che non va? L'è pran bel, no? L'hanno sistemato bene.»

«Non ci vedi qualcosa di… anomalo?»

«Cosa?»

«Be', insomma… A te quello lì… ti pare l'Ermenegildo?»

Gino alzò il sopracciglio da barbagianni e lo squadrò:

«Certo che no. Non l'hai riconosciuto? È Babbo Natale!» fu la sua risposta acida.

La domanda di Ettore, però, non voleva essere una provocazione. Quel corpo di marmo, lungo disteso lì davanti, in nessun modo apparteneva al loro compagno Ermenegildo. Non c'era niente che gli appartenesse: non quel lieve sorriso con le labbra appiccicate di colla, non quella pelle olivastra di cera, non le dita avvinghiate tra loro in quel modo così poco naturale. Quello che vedeva era un involucro senz'anima, un giaccone dimenticato, la carcassa di una vecchia barca, il rudere di un maniero. Si erano radunati tutti lì ad osservare un enorme scoglio reso inutile dall'assenza del mare. E presto, con gran serietà, l'avrebbero trasferito in chiesa, benedetto, issato sulle spalle, portato a fatica al cimitero, sepolto, coperto di terra, decorato di fiori come se quello fosse stato l'Ermenegildo, quando in realtà, altro non era che un anonimo pezzo di roccia.

Ettore allora, nel percepire che quel corpo esposto – nemmeno corredato di lapide e fotografia – mai gli avrebbe restituito il conforto che aveva creduto di trovare, si sentì sull'orlo di una voragine, vinto da un moto di panico. La testa prese a girargli e dovette uscire di corsa a prendere aria. Si rifugiò in chiesa dove attese che le parole di don Giuseppe lo aiutassero a ritornare in sé.

«Non z'è bisogno che vi spieghi chi era il nostro amico Ermenegildo Prandi» aveva detto il parroco appoggiato al pulpito. «La sua gioia di vivere e il suo senso dell'umorismo erano semplizemente contagiosi. Il suo ottimismo era un esempio per tutti noi. Mi ricordo che una mattina che pioveva a dirotto e fazeva un freddo birichino, saranno state le quattro e mezza, l'ho incontrato sul suo fuoristrada che andava alla rizerca di funghi. Era raffreddato e malandato, tanto che gli ho detto: "Ma dove vai conzato così?". E sapete lui cosa mi ha risposto? Volete che vi dica cosa mi ha risposto?» Sbirciò tra la folla muta. «Bene, mi ha risposto: "Voglio trovare dei funghi freschi da mettere in negozio".» Sorrise colmo di compassione.

«La genuinità di quella frase mi ha riscaldato il cuore in quella mattinata uggiosa. Lo capite, cari fratelli? Quelli erano i funghi raccolti per voi! Sì, proprio così, per te Severina, per te Basilio, per te Gino, e per te Ettore. Erano i funghi dell'onestà e del senso comunitario che ha accompagnato Ermenegildo per tutta la sua lunga e produttiva vita.»

Si prese un momento di riflessione. «Mi piaze allora paragonare ogni suo gesto generoso a un prelibato fungo e mi immagino che Ermenegildo si sia presentato alla porta del Paradiso con un'enorme zesta di porzini belli grossi, poiché tanti sono stati i suoi atti d'altruismo.» Annuì con la testa per rafforzare la sua affermazione. «Noi sappiamo che è buono e giusto comportarsi con generosità e che il compagno che oggi noi piangiamo si sentirebbe triste nel saperzi con gli occhi colmi di lagrime. Lui vuole che noi siamo felizi perché anche lui lo è: ha trovato l'eterna beatitudine nel Regno dei Zeli.»

Ettore si pietrificò. Ora gli sembrava di essere precipitato nel più oscuro degli incubi. Ciò che scoprì ascoltando l'omelia funebre gli rivelò una verità ancora più sconvolgente di quella dell'obitorio: alle prediche di don Giuseppe non era mai stato attento.

Si girò alla ricerca dei suoi amici, ma s'imbatté nell'Arcigna Pettegola, che da dietro, lo incenerì con una fulminante spalancata di narici.

«Ma che cos'è questo Aldilà? Quante volte ze lo siamo chiesti?» continuava intanto il parroco «Perché è un tema così diffizile da affrontare?» Pausa meditativa con sguardo fisso al rosone di fronte a lui.

«Perché stiamo parlando di qualcosa che va al di fuori del tempo e dello spazio e che va oltre le nostre capacità di comprensione. Non abbiamo testimonianze dirette. Vi leggo un passo dalla prima lettera ai Corinzi capitolo due verso nove…» qui si sistemò gli occhiali da lettura sul naso butterato, «"Quelle cose che occhio non vide, né orecchio udì, né mai entrarono in cuore di uomo, queste ha preparato Dio per coloro che lo amano".»

Si fermò per sfilarsi gli occhiali e puntare alla platea.

«Si tratta dunque di cose inconcepibili alla nostra natura umana, finita. Dobbiamo per questo dubitare dell'esistenza della Vita Eterna? Zerto che no!» esclamò deciso. «In cosa consiste la Vita Eterna zi è stato rivelato! Sempre nella lettera ai Corinzi capitolo tredizi verso dodizi, Paolo di Tarso parla di "fazza a fazza" con Dio. Lo capite, fratelli? Vedremo il volto del Signore!» si passò una mano aperta davanti al viso e proseguì l'omelia.

«E l'apostolo Giovanni lo spiega ancor più chiaramente: "Questa è la Vita Eterna: che conoscano te, il solo vero Dio, e colui che tu hai mandato, Gesù Cristo". Conosceremo quindi Dio attraverso il Cristo e quello che oggi zi pare incomprensibile, sarà finalmente spiegato.»

Un groviglio di domande si fece largo nell'umile capoccia di Ettore. Domande che non si era mai posto prima e che si rigeneravano con maggiore insistenza, via via che don Giuseppe snocciolava parole a ripetizione come un distributore automatico. Fu mentre cercava di interpretare la predica del parroco, mentre quello ancora parlava, che accadde la sciagurata metamorfosi: da figura imponente, dritta e solida, a immagine e somiglianza del Giuseppe padre di Cristo, e anche un po' di Padre Pio, il religioso si rattrappì all'improvviso. Scomparve quasi dal pulpito per rimpiccciolire alle dimensioni insulse di una statuetta di presepe e mutò contemporaneamente anche la voce, ora gommosa e flebile come lo squittio di un topolino. A quell'immagine impietosa e malvagia, chiaramente frutto della sua perversione, Ettore si tirò due ceffoni da solo. Gli schiocchi tonanti furono coperti dall'applauso della folla: la bara era pronta per il viaggio verso il cimitero locale.

Da lì erano nate le notti insonni, notti infestate da angosce e da una domanda: dov'era veramente andato a finire l'Ermenegildo?

Nemmeno il tempo di fare chiarezza in quel mistero, che era arrivato il turno della Iole. Non che fosse un'amica, ben inteso, ma era pur sempre una conoscente, una che per strada ti salutava, ti chiedeva "come stai" e a sua volta ti raccontava i fatti più salienti del suo parentado.

Era tornato all'obitorio accompagnato da Gino e questa volta già dalla prima occhiata non aveva avuto dubbi: nemmeno quella era la Iole. Aveva i tratti del viso affilati, quasi aguzzi, soprattutto le gote e il naso, sembrava prosciugata. Una riproduzione in cartapesta di se stessa.

«E tu mi vuoi far bere che quella lì è davvero la Iole?» chiese a Gino, questa volta con più spavalderia.

«No. È la Befana!» gli rispose Gino soffocando un sogghigno sarcastico, perché anche lui con la Iole aveva un po' meno confidenza.

Scosso da tutti questi stravolgimenti esistenziali, Ettore partecipò alla cerimonia funebre deciso una volta per sempre a chiarire quella faccenda che gli stava mettendo a serio repentaglio l'equilibrio interiore. Doveva esserci per forza una spiegazione ragionevole, e don Giuseppe questa volta gliel'avrebbe data. *Doveva* dargliela.

«… Piissima… Iole era una donna devota e leale, sempre puntuale e presente a ogni messa. Teneva particolarmente alla Santa Messa del Natale. Si confessava regolarmente, e vi posso garantire che tutti noi, anche i più fedeli, siamo messi alla prova ogni giorno da tentazioni luziferine. Iole non era da meno, nonostante la sua fede incrollabile.» Don Giuseppe si fece riflessivo mentre cercava un'allegoria appropriata.

«Supponiamo che ognuno di noi disponga durante la propria vita di un unico contenitore di terracotta in cui raccogliere i propri peccati. Alcuni avranno il vaso colmo di peccati grossi, duri e gelidi come la grandine,» qui sgranò gli occhi e fece una voce cavernosa, «mentre altri avranno peccati più leggeri, come un soffice strato di fiocchi di neve,» qui accarezzò l'aria col palmo della mano, «altri ancora, una pozzangherina di acqua piovana» alzò le sopracciglia e avvicinò pollice e indice a indicare una quantità minuscola. «Ecco, i peccati della nostra amica Iole, cari fratelli, erano talmente ingenui e in buona fede, che li potremmo immaginare come minuscole gozzoline di rugiada. Al cospetto del Signore, rallegriamoci tutti: consegnerà un vasetto praticamente vuoto!»

Ettore a quel punto strattonò la manica di Gino, ma l'Arcigna che aveva i riflessi pronti, gli aveva già infilato un uncino nel costato.

«Tra le tante passioni che l'animavano vi erano sopra ogni cosa l'unzinetto e il ricamo» ricordava intanto il parroco. «Avrò per sempre a caro ricordo la tovaglia variopinta che ha confezionato per la sagrestia. Ora potrà per sempre ricamare per gli angeli del Paradiso nella beatitudine del Signore.» Lanciò un profondo sospiro che grattò nel microfono e si preparò ad arrivare al nocciolo della questione.

«E quando parlo del Signore, fratelli miei, che cosa intendo dire? Ve lo siete mai chiesti? Quando parlo del Signore io intendo...» attese che l'eco dell'ultima parola svanisse nell'aria per creare più suspense. Qualcuno tossì dalla platea e, per imitazione, altri quattro gli andarono dietro. Conclusosi il lazzaretto, il don proseguì.

«L'amore!»

Spalancò le braccia in un abbraccio etereo. «Un amore che non annoia mai, perché pieno, puro, incontaminato, illimitato, perfetto! Un amore in cui saremo immersi all'infinito, liberi dai pensieri, dalle sofferenze della psiche e da qualsiasi dolore della carne. Iole dunque è adesso immersa nell'amore.»

A Ettore sembrò che la chiesa avesse iniziato a sgretolarsi intorno a lui, il suo respiro si fece affannoso, le braccia presero a formicolare e penna e taccuino gli scivolarono dalle mani. Sentì l'impellente necessità di accasciarsi a terra, ma per discrezione, si lasciò cadere in ginocchio e nascose il volto tra le mani, fingendo di pregare.

5

Il negozio di ortofrutta

Nel tardo pomeriggio i compagni si radunarono per parlare delle rispettive impressioni, farsi coraggio l'un l'altro e riscuotere i soldi delle varie scommesse.

«Comunque io ve l'avevo detto subito che era la Iole» gongolò Basilio.

«Ma se fino all'altro ieri stava benissimo… io ancora non mi capacito. Era la Greta che era sempre stata malaticcia» rispose Cesare, pensieroso.

«Sì, ma non vuol dire niente. Magari la Greta campa altri vent'anni» fu il commento pratico di Gino.

«Ah, com'erano belle da giovani… te le ricordi, Riccardo, che gambe lunghe che avevano? Sembravano le Kessler.» Cesare si lasciò trasportare dai ricordi.

«Come no! E adesso una è morta e l'altra è già più di là che di qua, così come tutti noi.» Riccardo incrociò inavvertitamente le braccia sul petto, schiacciò la sacchetta e rilasciò nell'aria uno sbruffo letale.

«Povero don Giuseppe, mi fa quasi pena» andò avanti Basilio, «ormai anche lui non sa più cosa inventare per consolar la gente. L'avete sentita la storia del vasetto?»

Scoppiò una risata esorcizzante.

«Potremmo dargli qualche suggerimento per quando sarà il nostro turno» propose Elvis, sarcastico.

Riccardo si alzò in piedi: «Sì, per te direbbe "Me lo immagino così, davanti alla porta chiusa del Paradiso ad aspettare invano per l'eternità. Poiché i suoi peccati furono talmente tanti che nemmeno una zisterna di lambrusco basterebbe a raccoglierli tutti!"» e tutti giù a rider di brutto.

Elvis a quel punto sfoderò la sua controbattuta:

«E San Pietro dirà: "Oh, ma cos'è questo sfiato degli inferi? Riccardo, torna subito indietro che m'impesti il Paradiso!"».

L'ilarità era incontenibile e lo stesso Riccardo rideva sotto i baffi con modesto autocompiacimento.

Ettore, pallido come la luna, deglutì sbigottito. Perché si comportavano tutti in modo così sfacciato? Come potevano essere tanto grezzi su un tema del genere? Riccardo, poi, con quel male che lo divorava, come riusciva a essere tanto cinico? Si strinse nel giaccone e tremò di freddo.

«Cosa c'è Ettore? Non ti senti bene?» Basilio notò il pallore del compagno.

«C'ha la fifarella dell'aldilà» rispose Gino a nome suo.

Le labbra di Elvis si allargarono in un sorriso intenerito.

«Ve', lo sai cosa diceva mio padre? A lui piaceva inventare le canzoni e poi ce le cantava alla sera nella stalla. Una volta ne ha scritta una che faceva così, me la ricordo ancora.»

Si strofinò le mani e cantò agli amici lo stornello:

Son curios, son curios
ed saver sagh'è d'adlà
perché ninsun,
ninsun al sa.

Son curios, son curios
ed saver sagh'è d'adlà

ma sta sigur,
che gnan al preit,
al sa!

Nel clamore generale, Basilio si girò di nuovo verso Ettore e lo sgomitò.

«Hai sentito Ettore? Non perder tempo ad aver paura, che tanto cosa c'è di là, non lo sa nessuno!»

Ettore strinse le labbra, sollevò le spalle e annuì, poco convinto.

«Basta così, gente, lasciamolo stare…» saltò su Gino, riemerso da uno dei suoi momenti di assenza spirituale.

«Giusto! Parliamo di cose più serie,» si unì Basilio «avete visto che proprio stamane ha riaperto l'ortofrutta dell'Ermenegildo?»

«Sì» confermò Elvis «dicono che adesso c'è uno straniero.»

Basilio s'arrestò di colpo. «Come? Un forastér?»

«Ma dài, non dirmi che non lo sapevi! Lo sanno anche i muri ormai: il nipote all'ultimo momento ha ceduto tutto a uno dell'Est.»

«Ah! Questa poi! Non c'è più religione!» Si batté le mani sulle gambe, fuori di sé.

«Be', un po' lo capisco» commentò Cesare. «La Severina non ha più l'età, i parenti sono tutti nella bassa, chi vuoi che voglia ereditare dieci metri quadrati quassù?»

«Un corno!» ribadì Basilio, rabbioso. «Prima arriva quel demente di Corrado che ci ruba la libertà, adesso uno straniero che ci ruba la frutta e la verdura. Ve lo dico io cosa sta succedendo» riprese minaccioso, «ci toglieranno pezzo per pezzo il nostro paese, la nostra terra, e forse, anche La Rambla.»

Dalla tavolata si levò un mormorio generale.

«Sei sempre il solito esagerato…» intervenne Gino con la sua flemma. «Tanto, per quel poco che ci rimane…»

«Sarà. Ma intanto siamo ancora qui, e io dico che è bene tenere gli occhi aperti» replicò l'ex partigiano alzandosi in piedi. «A partire da subito. Forza, ragazzi, andiamo a dare il benvenuto al nuovo arrivato.»

In fila indiana, Basilio in testa, l'intera brigata marciò fino all'angolo dell'ortofrutta e si ammucchiò disordinatamente nel piccolo locale tinto di fresco.

«C'è qualcuno?»

Al bancone non si vedeva nessuno.

Basilio scampanellò diverse volte e finalmente dal retrobottega si sentì uno scalpiccio.

«Buongiorno.»

Comparve un armadio di due metri: muscoli di pantera, fronte squadrata di gorilla, naso da pescecane e due occhi felini di un azzurro torbido come un fiume in piena. A Basilio ispirò subito poca fiducia. Cercò di valutarne l'età: avrà avuto al massimo un terzo della sua. Improvvisamente si sentì quel che era, un vecchio sorpassato, e per un millesimo di secondo provò, per la prima volta, il desiderio di battere in ritirata. Si schiarì la voce.

«Ehm, noi siamo quelli della Rambla» si presentò facendo la voce grossa.

«Rambla?» chiese l'energumeno perplesso. Il vocione si adattava perfettamente alla stazza.

Basilio sospirò. «La Rambla è il bar qui di fianco, e noi viviamo praticamente lì dentro da un secolo.»

«Indisturbati» precisò Riccardo da dietro.

L'uomo passò il suo sguardo acuto sui volti torvi di tutti senza fare altro commento. Era evidente che si trattava di un tipo taciturno.

«Il nostro è sempre stato un paese tranquillo e pacifico» insisté Basilio, dato che ormai era venuto fin lì. «Non vogliamo casini, ci siamo capiti?»

Il giovane non fece una piega e si limitò a fare un cenno col capo.

«Cosa comprate voi?» chiese infine.

La compagnia si scambiò sguardi impreparati.

«Ehm, prendiamo… quella banana laggiù.»

«Solo banana?»

«… e quella mela» aggiunse Riccardo.

«Solo banana e mela?»

Basilio s'irritò.

«Oh, perdinci! Dammi un cespo di lattuga cappuccio, quella melanzana, due zucchine e mezzo chilo di pomodori pachino» non gli andava di fare la figura dello spilorcio.

Pochi minuti dopo la combriccola era in strada con sacchetti pieni di frutta e verdura di cui non sapeva che fare. Basilio s'affrettò a disperdere il gruppo e, rimasto solo con Gino, gli passò i viveri da buttare alle galline.

«Ecco, tieni, e adesso andiamocene a casa. Secondo me, non ci darà più fastidio.»

6

La Linda, la Cocca e la Genoveffa

Più di tutto, la Linda, la Cocca e la Genoveffa apprezzarono la lattuga cappuccio. Verso il tramonto Gino le sistemò sul divano dismesso della cucina. Mentre distribuiva imparziali grattini sul collo e augurava loro una notte serena, si ripeté un'ennesima volta che la vecchiaia era una brutta bestia. Quante galline aveva ammazzato, gettato nell'acqua bollente, spennato e fatto a pezzi nella sua vita? Gli tornò in mente il fetore del contenuto ocra e sabbioso che fuoriusciva dai loro budelli fumanti. Quello era un lavoro da donne, e infatti all'inizio era toccato a Ludovica, la giovane sarta per la quale Gino si era scontrato con mezzo paese. «Prima o poi ti scappa!» lo avevano avvertito. «Hai quasi quarant'anni, sei troppo vecchio per lei!» Eppure lui l'aveva conquistata, perché era il maestro ed essere la moglie del maestro faceva bella figura. I compaesani, però, ci avevano visto giusto e Ludovica non aveva sopportato a lungo il carattere ermetico del marito intellettuale.

Rimasto solo, Gino si era arrangiato. Aveva anche impallinato fagiani e pernici, scuoiato lepri, scorticato conigli dopo averli ammazzati a bastonate. Ma la sua fedina penale era ben più lurida: aveva annegato gattini appena nati e, una volta, aveva addirittura ucciso un topolino di campagna schiacciandolo con un piede. Di quante cose riprovevoli era costellata la sua lunga vita... cose del tutto normali tra i montanari, che però tanto normali non gli sembravano più. La vecchiaia lo aveva indurito con gli umani e ammorbidito con gli animali.

La natura lo aveva modificato a suo piacimento non solo nel fisico, ma anche nelle abitudini: gli aveva tolto la forza di uccidere, e così anche la voglia di mangiare carne era quasi scomparsa. Oppure era il contrario: avendo meno appetito di carne, anche uccidere aveva perso l'attrazione di un tempo? Non era più importante; ora gli bastava un pezzo di formaggio, un'insalata e un bicchiere di rosso per sentirsi pieno. Si poteva quasi dire vegetariano, non fosse stato per qualche sporadica fettina di salame.

La storia delle galline era nata così: dell'intero pollaio gli erano rimaste due galline a cui non si sentiva più di tirare il collo. Una sera aprì il cancelletto e le diede in dono alle faine.

La mattina dopo trovò le pennute ancora vegete, comodamente appollaiate sulle sedie del cortile. Quando si fece avanti e si stropicciò gli occhi per vederle meglio, gli parve che lo salutassero con gratitudine. Si alzarono, si sistemarono il piumaggio e accorsero ai suoi piedi chiocciando. D'istinto, Gino lanciò una manciata di mangime sullo zerbino. Questo gesto simbolico fu accolto come il suggello di un patto di eterna fedeltà.

Non ci volle molto per accorgersi che ognuna di loro aveva una propria sensibilità e le proprie abitudini. La Linda lo seguiva ovunque, sempre pronta a complimenti e chicchi d'uva. La Cocca, invece, ci teneva ai suoi momenti di raccoglimento ed era più feconda. Quando, col cambio di stagione smise di fare le uova, iniziò a fissare la compagna di traverso e con un certo rancore. Per ristabilire l'armonia in quella che oramai era diventata un'unica famiglia, Gino portò a casa una terza gallinella, e difatti il piano funzionò.

La Genoveffa era così svampita, spaesata e timorosa di tutto che si lanciava in svolazzi sconclusionati per il cortile alla minima novità, distraendo la Cocca dalle malinconie della menopausa.

A poche settimane dal suo arrivo, la Genoveffa si gettò sotto una macchina dopo che questa l'aveva terrorizzata a morte con una strombazzata di clacson, e ne uscì scioccata e claudicante. Da allora, tallonava ovunque le compagne in terza posizione. La sua naturale inclinazione alla sventatezza, comunque, la portava a lasciarsi distrarre da vermi e insetti lungo il percorso, così Gino la vedeva prima arrestarsi e raspare la terra roteando la testa, e poi lanciarsi in buffe corse sgangherate per recuperare il passo delle altre.

Invece che nel pollaio, la notte venivano sistemate al caldo, in fila sul divano. La vita umana si confaceva ai loro gusti e si erano abituate quasi a tutto, tranne a una cosa: l'abominevole squillo del telefono.

«Chi rompe?»

«Sono io, papà…»

«Ma cosa telefoni a quest'ora, che mi fai un fracasso in casa! Non potevi mica chiamare domattina? Tanto non ho niente da dire.»

«Anche noi stiamo bene. Grazie.»

«Mmm.»

«Hai già mangiato?»

«Una domanda più idiota non ce l'hai?»

Silenzio.

«Novità?»

«No.»

«Sai chi mi ha telefonato di recente?»

«Cosa vuoi che me ne freghi?»

«La Sandra, l'assistente del Comune. Dice che continui a non aprirle la porta.»

«Non me ne sono accorto…»

Dall'altra parte Nicola fece un respiro spazientito.

«Lo sai che tra poco aprirà il ricovero e per te sarebbe la soluz…»

«Non sono mica rincoglionito, me l'hai già detto dieci volte! Non ho bisogno di nessun ricovero del cazzo!»

Di nuovo silenzio. Gino tastò con la mano libera gli utensili sparsi sul lavello alla ricerca di un bicchiere. Ne trovò uno un po' appiccicoso che puzzava di vino, girò la manopola del rubinetto e ce lo piazzò sotto, cogliendo il getto solo a tratti e finendo per bagnarsi il braccio fino al gomito.

«Io e Carmen veniamo per le vacanze. Katia ti manda i suoi saluti da Londra.»

Di nuovo quel silenzio imbarazzante.

«Scusa, ma… cos'è quel rumore che si sente lì in sottofondo?»

«Quale rumore?»

«Si direbbe un… chiocciare di… non terrai mica le galline in casa?»

«Ma sei rincretinito? Secondo te tengo le galline in casa? Senti, la linea è disturbata, adesso metto giù. Buonanotte.»

«Aspetta, papà! Allora… ci vediamo tra poche settimane, eh?»

«Se sono ancora vivo.»

Gino appoggiò il ricevitore e rimase in piedi con i pugni appoggiati alla ceramica fredda del lavello. Si era innervosito e ora respirava a fatica. Le galline gli gironzolavano intorno ancora esitanti, ma i loro passi si facevano più sicuri. Intuivano che lo scompiglio era passato e che potevano tornare alle loro morbide postazioni.

«Forza, andate a letto, stupide!» Gino si chinò verso la Cocca per prenderla in braccio, ma fu trafitto da un dolore acuto alla schiena. Si accasciò contro il tavolo, si resse con i gomiti e si lasciò scivolare sulla sedia. Già, se era ancora vivo, pensò ansimando. Perché la prossima estate avrebbe anche potuto non esserci più. Basta. Finito. Arrivederci. Niente più sofferenze, niente più inutili giorni impiegati a tirar sera tra il bar e la vecchia catapecchia in cui abitava.

Paralizzato dal crampo che non decideva a sciogliersi, si chiese come sarebbe stata la sua fine. Lunga e penosa, o veloce e poco appariscente? Chi avrebbe trovato il suo corpo? La Sandra? Nicola? Ettore? Sogghignò inconsapevolmente all'idea di Ettore che bussava alla porta cereo e agitato, mentre il suo cadavere dall'altra parte era ormai diventato mangime per le povere galline intrappolate in salotto. Eh sì, tutta la vita a prendersi cura del proprio corpo, e all'improvviso sarebbe diventato una visione orribile di cui sbarazzarsi. S'immaginò stecchito da un fulmine improvviso, sepolto sotto le macerie di un terremoto, avvelenato da un caffè al cianuro offerto infidamente da Corrado come simbolo di pace. E se ci avesse pensato lui stesso a togliersi dai piedi? Non era la prima volta che questa fantasia veniva a fargli visita. Sapeva che il metodo migliore e forse più coerente sarebbe stato quello di infilare uno straccio nello scarico dell'Ape, tornando neonato nella sua culla. Anni prima aveva conosciuto un calzolaio con cui andava a caccia la domenica mattina, che si era sparato col fucile nella vasca da bagno, ma un atto così sanguinoso non era nel suo stile. Sentì la fitta alla schiena dissolversi gradualmente lungo la colonna vertebrale. Sul tavolo la sua mano intercettò una vecchia corda di salame. Gli venne la buffa curiosità di sapere se sarebbe stata abbastanza robusta per impiccarcisi. L'attorcigliò alle dita di entrambe le mani e provò a tenderla per testarne la resistenza. Si spezzò in due al terzo strattone. Era marcia, non sarebbe servita a nulla. Gino si lasciò sfuggire una risata da pazzo e le tre galline borbottarono inquiete. Che pensieri idioti! Che idee da vecchio imbecille gli saltavano in mente! Buttò i due stralci di corda sulla tavola e colpì inavvertitamente il telecomando che si rovesciò sul pavimento. Non ebbe la forza di piegarsi di nuovo per prenderlo. I minuti trascorsero lenti e cadenzati dai suoi respiri rantolosi, lunghi nel riempire i polmoni d'ossigeno, ma quasi istantanei nell'espirarlo. Quando pensò di essersi rimesso, provò lentamente a chinarsi di nuovo per raccoglierlo. Di centimetro in centimetro, la distanza dalle sue dita al pavimento diminuiva. Afferrò il telecomando e con la stessa lentezza ritornò in posizione seduta. La fitta non era tornata a tormentarlo. Pigiò sul pulsante rosso e il vecchio televisore prese vita. Gino premette il tasto per togliere il volume. Si girò lentamente dall'altra parte dello schermo, verso la parete vuota e annerita dal fumo della stufa. Prima di andare a coricarsi rimase a lungo a osservare il gioco di luci e ombre di infinite sfumature di azzurro e di blu.

7

Una minaccia incombe

Le minacce che Corrado aveva fatto al bar erano suonate totalmente assurde e prive di fondamento fino alla mattina in cui Cesare avvistò il cartellone pubblicitario che preannunciava la prossima apertura della Villa dei Cipressi.

Era una mattinata di inizio estate ed era in casa con l'auricolare staccato a cercare di captare il labiale della moglie Irma che gli urlava dietro. Ormai era diventato quasi un gioco. Staccava l'apparecchio acustico e scommetteva due grappini alle prugne che avrebbe indovinato l'intera frase. Tanto, ultimamente, si era messa a ripetere sempre le stesse cose. Ora, ad esempio, gli stava dicendo: «Guarda che se per caso ti becco che hai staccato un'altra volta l'auricolare ti do due scapaccioni!».

Negli ultimi anni aveva sviluppato un rinnovato senso materno che la spingeva a usare con lui la stessa inflessione nella voce e la terminologia che si usano coi bambini. Quando era in casa lo teneva d'occhio di continuo e non pareva trovare appagamento fino a quando non gli aveva ripetuto almeno cinque volte la stessa cosa.

«Così sto con la coscienza a posto» diceva in sua difesa.

Eh sì, com'era bella, pensò Cesare, quando la seguiva di nascosto alla sagra e lei aveva sempre alle calcagna il padre Girolamo, lo zio Alfonsino, il fratello Ottavio, il cugino Paride e poteva bramarla soltanto da lontano.

A quei tempi era una dea, era la Madonna in persona, e mentre la osservava gesticolare senza emettere suoni nel centro della cucina quasi si trovassero in una casa sottomarina, si chiese sinceramente quand'è che aveva iniziato a diventare la rompicoglioni che era adesso.

«Guarda che adesso vengo lì e ti controllo l'apparecchio!» era riuscito a interpretare la frase giusto in tempo per tirarsi una sberla proprio sull'orecchio sinistro e far finta di avere centrato una zanzara.

«Ecco, ti ho visto! Ora l'hai riacceso, razza di pestifero che non sei altro!»

«Non è vero, ho sentito tutto!»

«Credi che sia stupida?»

«No, giuro che ti stavo ascoltando!»

«Allora ripeti tutto quello che ho detto» lo sfidò lei, piantandosi le mani sui fianchi in minacciosa attesa. Immobile così sembrava una giara.

Cesare cantilenò svogliato: «Che la pastiglia bianca devo prenderla una volta al mattino e una alla sera, quella ovale mezza rossa e mezza gialla devo prenderla a mezzogiorno prima dei pasti e lo sciroppo tre volte: appena mi sveglio, al pomeriggio e prima di coricarmi. Contenta?».

«Bravo somaro, allora se capisci perché ti dimentichi sempre di prendere le medicine e mi fai sgolare ogni giorno le stesse cose venti volte? Non senti che voce rauca che mi è venuta? Senti che roba!» e prese a massaggiarsi la trachea.

Cesare la tirò a sé sorridendo, mentre davanti agli occhi la sua fantasia proiettava l'immagine di lui che le tagliava le corde vocali nel sonno.

«Vieni qui, mia bella Gigogin.»

A quel richiamo si fece mansueta. Gongolò sorpresa dal ricordo di quando si erano conosciuti, portava i capelli corti, indossava gli orecchini d'oro della comunione e tutti la chiamavano "la bella Gigogin", come nella canzone.

«Forse intendi quando pesavo trenta chili di meno...» si autocommiserò alla ricerca di un complimento.

«Facciamo anche trentacinque...»

«Oh!» gli mollò una finta patacca sul braccio.

Lui la tenne ferma.

«Sai l'altra mattina, quando nel letto durante la notte la camicia ti è andata tutta giù di posto e ti si vedevano le tette?»

«Oh, Cesare, non essere volgare!» si schernì lei, arrossendo, come se non stesse parlando all'uomo con il quale aveva passato gran parte della sua vita, ma a un giovanotto appena conosciuto.

«Lasciami finire, bisbetica!» protestò lui. «Sai cos'ho pensato io?» insisté.

Gli occhi di Irma si riempirono di pudore mentre faceva di no con la testa, anche se la risposta la sapeva già: lui ogni volta la ripeteva e lei ogni volta faceva finta di non averla mai sentita.

«Che quella scena era più bella di una panoramica aerea di tutto l'Appennino.»

«Di tutto l'Appennino?»

«Sì. Di tutto l'Appennino.»

«Ma anche del Cusna?»

«Anche del Cusna.»

«E del Ventasso?»

«Del Cusna, del Ventasso, del Succiso e anche della Pietra di Bismantova.»

Irma si sciolse in un sorriso rugoso, tutta lusingata, gli occhi ridenti e liquidi. Si sedette sulle sue gambe e strofinò il naso contro il suo come facevano nei loro momenti di affetto da quando avevano smesso di baciarsi sulle labbra.

«Dài, dimmi che sei contenta.»

«Sì, sono contenta.»

Cesare sorrise languido, si spostò leggermente indietro per vederla meglio e chiese in un sospiro supplichevole:

«Bein, alora adèsa possia andèr al bar?».

Fu proprio mentre raggiungeva il bar a piedi, dopo che l'Irma lo aveva cacciato fuori con la scopa, che Cesare s'accorse dell'enorme pubblicità sulla bacheca davanti al Municipio.

Sabato 25 maggio ore 16,00
presso la pinetina comunale,
INAUGURAZIONE della casa di riposo
Villa dei Cipressi
con discorso del Sindaco
e rinfresco a seguire

«Eh la Peppa!» si lasciò sfuggire. Con una certa preoccupazione procedette a passo svelto fino all'edicola dove già la prima pagina della *Gazzetta* riportava la medesima notizia con informazioni aggiuntive.

Il moderno centro che aprirà ai piedi dell'antico borgo Le Casette di Sopra si propone come eccellenza del territorio nell'ambito dell'assistenza agli anziani. Una nuova realtà che donerà una ventata di cambiamento a tutta l'area, risolvendo sia il problema dell'assistenza agli anziani che quello della disoccupazione giovanile. Stiamo infatti operando una massiccia campagna di reclutamento di nuovo personale qualificato e invitiamo tutti i giovani in cerca di lavoro, le badanti straniere alla ricerca di una nuova dignità o le casalinghe volenterose a inviarci la loro candidatura.

«L'idea ci è venuta osservando le decine di piccoli borghi di poche

centinaia di abitanti della nostra provincia – prosegue il direttore della casa di riposo Fausto Cimino – in cui manciate di indigenti e pensionati vagano senza meta alla ricerca di qualcuno che si occupi di loro.»

«Un caso esemplare è lo storico bar La Rambla a Le Casette di Sopra – commenta Corrado Ronchi della polizia municipale – occupato da una banda di ultraottantenni che vivono come cani sciolti ai margini della legalità, fumando all'interno del locale e bevendo alcolici oltre il limite consentito. È nostro dovere riportare l'ordine e allo stesso tempo venire incontro ai familiari di queste anime derelitte che per motivi di lavoro o di spazio non possono tenerle in casa.»

«Abbiamo preparato pacchetti allettanti per ogni tasca ed esigenza – continua Cimino – che, sono certo, risolveranno presto questo problema, evidente sintomo di un dilagante disagio sociale.»

Elvis appoggiò il giornale sul tavolo nel silenzio generale. Per la seconda volta, dalla finestra aperta vorticò un soffio gelido e muffoso che presagiva tempi cupi a venire. Il riporto di Elvis si sollevò e i compagni guardarono altrove per dargli l'opportunità di risistemarlo con discrezione. Sul conto di Elvis c'è da dire che negli anni Cinquanta era stato il primo ad aver conosciuto la radio e a innamorarsi del Rock 'n' Roll. Come il suo idolo, si acconciava con la capigliatura alta e impenetrabile di Elvis da cui, banalmente, il soprannome. Quest'ultimo sopravvisse all'estinzione della chioma e imparò a convivere con quel riporto poco affidabile.

«Parlano proprio di noi...» Riccardo espresse il suo inutile commento.

«Banda di ultraottantenni? Cani sciolti? Evidente sintomo di disagio sociale?» sbraitò Basilio, battendo un pugno sul bancone che risuonò come una dichiarazione di guerra.

Tutti si scambiarono occhiate d'indugio.

«È quello stronzo di Corrado…» sentenziò Gino. «Un giorno di questi dovrò decidermi a investirlo.»

«Bella idea, così passi i tuoi ultimi giorni in galera» fu il commento apprensivo di Ettore.

«Dimentichi che sono già troppo marcio per marcire in galera. E anche se fosse, meglio la galera che l'ospizio!» esclamò di rimando Gino.

«L'hai detto!» gli andò dietro Basilio. «E poi che senso ha vivere una vita senza lottare per qualcosa? Siamo vecchi, sì, ma siamo ancora vivi. E finché c'è vita, c'è lotta.»

«Sì!» urlarono tutti insieme.

Ettore incassò senza fiatare, torturato dal senso di colpa per non avere mai conosciuto la sensazione che si prova combattendo per un ideale o una persona. Che cos'era la lotta in fin dei conti? Cosa mai ci trovava Basilio di così attraente? La lotta era qualcosa che presupponeva azione violenta, rivoluzione, scompiglio, litigio, tutte cose spaventose e soprattutto, che implicavano un dispendio molto alto di energie. Per lottare bisognava essere valorosi, sicuri di sé e credere così tanto in un obiettivo da essere pronti a mettere in pericolo la propria esistenza per ottenerlo. No, la lotta non faceva per lui, era una cosa impensabile. Solo Basilio, per il quale la Resistenza non era mai finita, ci riusciva davvero ed era in grado di trascinare con il suo fervore anche tutti gli altri.

8

Leggende di paese

Si diceva in paese che il partigiano Basilio negli ultimi mesi della Resistenza avesse vissuto un amore tumultuoso con una fanciulla d'oltralpe, arrivata inizialmente a seguito di un ufficiale delle schiere nemiche e poi scappata in montagna dopo avere visto in prima persona atti d'indicibile crudeltà. Ovviamente la vicenda era talmente scabrosa, assurda e inconcepibile, che nessuno osò mai chiedere spiegazioni esplicite al diretto interessato e le dicerie al riguardo diventarono leggenda.

Si diceva inoltre che, quando ogni anno Basilio spariva per un paio di mesi senza dire né perché né per dove, andasse a soggiornare in terre teutoniche, ma anche questo, ovviamente, rimase sempre un mero sospetto.

Un bel giorno di due decenni prima, era tornato da uno di questi viaggi con uno zaino da montagna e nessuno ci aveva fatto caso. Tutti sapevano, infatti, che Basilio amava partire per il nord, infilarsi gli scarponi chiodati e salire sulle cime fino agli stambecchi e alla neve perenne. Quando però lo zaino iniziò a mugolare qualcuno s'insospettì.

«È un capriolo?»

«Un lupacchiotto?»

«Un cucciolo di volpe?»

«No. È mia nipote Rebecca» tuonò lui, minaccioso.

Nessuno si azzardò a fare ulteriori domande.

Sciolto il nodo del fagotto, i compaesani si ritrovarono davanti a una creatura che non si erano mai nemmeno sognati che potesse esistere: un essere dalla pelle di luna, dalle guance sporgenti e lisce come petali, le ciglia piumate, e gli occhi d'un verde profondo e trasparente come due gocce di rugiada su una foglia colpita dal primo sole del mattino. Sulla testolina, un groviglio di capelli rossi, lanoso e inestricabile quanto il nido di un fringuello, ma d'una morbidezza e un profumo tali da perdere il controllo. Il naso era una perla di mare, le labbrucce due lombrichi ballerini, le manine polipi pulsanti in cerca di una cavità in cui raggomitolarsi.

Sfatando il mito "belle da piccole brutte da grandi", Rebecca fioriva di giorno in giorno, crescendo spropositatamente in altezza e trasformando i gesti infantili in movenze piene di inconsapevole seduzione. Quella sua aura tanto gloriosa quanto insopportabile fu la sua condanna.

Le donne rimanevano sempre un po' in disparte, non tanto per gelosia, quanto per evitare il peccaminoso pensiero di preferire una figlia attraente come lei alle rane che avevano partorito loro. Gli uomini al contrario, ne rimanevano intimoriti al punto che il membro gli si rimpiccioliva tra le gambe, i ragionamenti si vanificavano e rimanevano inebetiti con le bocche semichiuse. I cuori battevano frenetici nel riconoscere da lontano la sua inimitabile andatura molle, vagamente cammellesca.

I capelli di fuoco le erano cresciuti a dismisura e gli uomini sognavano di morire imbrigliati e soffocati da quella ragnatela di zucchero nel tentativo di prenderla nuda. A scuola i compagni non le rivolgevano la parola e la lasciavano in disparte per istinto di sopravvivenza. Gli insegnanti evitavano di interrogarla per non dover guardare a lungo quegli occhi di Proserpina. Se alzava la mano, loro davano la parola all'occhialuto della prima fila.

A forza di scoraggiarla, era diventata la creatura più ignorante della vallata.

«È tanto bella quanto stolta» solevano ripetere scuotendo la testa.

Isolata dagli uomini, aveva trovato la sua dimensione nel maestoso regno degli animali, in particolar modo, nel mondo degli insetti, un mondo misterioso, apparentemente invisibile che nascondeva una forza straordinaria. Un mondo fatto di farfalle, mantidi e coccinelle che andava a fotografare diligentemente con una vecchia Yashica.

Gironzolava per i boschi, seguita da sciami di api in corteo come dietro a una gigante ape regina, i caprioli le leccavano i palmi di miele, gli scoiattoli accompagnavano il suo percorso saltellando di ramo in ramo sopra la sua testa. Poi le frasche si diradavano, i rami si assottigliavano, gli alberi d'improvviso lasciavano spazio alla scia d'asfalto che portava alla piazza, e tutti i suoi amici animali, come tenuti indietro da una parete invisibile, arrestavano la marcia e si fermavano nell'aria smeraldina della foresta.

«Ti ho portato il discorso della commemorazione, nonno. È pronto.»

La tavolata si voltò verso la porta dove la figura longilinea di Rebecca si stagliava come una visione mariana.

«Dammelo che lo metto al sicuro.»

Rebecca fece un unico passo in avanti e allungò una busta come il testimone di una staffetta. Basilio impennò la sedia su cui stava seduto, allungò a sua volta il braccio verso di lei e si assicurò la missiva tra medio e indice. L'aprì con voracità: contò cinque fogli grandi da fotocopia battuti a macchina. Esultò tra sé: l'anno precedente erano solo quattro e mezzo.

«Brava. Ora vai, tesoro, che mi distrai il gruppo.»

«Tiè!» Cesare, tutt'altro che distratto, approfittò del momento per buttare sul tavolo una tripletta di assi da far paura, lasciando tutti a mascella ciondolante. Un boato d'insulti partì tra i giocatori e in un attimo Rebecca ritornò nel dimenticatoio, inghiottita da una coltre di fumo.

9

Il senso della vita

Ogni volta che il dottor Minelli riceveva Ettore gli tornava il dubbio che lo perseguitava già dal principio della sua carriera: avrebbe dovuto fare il consulente psicoterapeutico piuttosto che occuparsi dei mali della carne. Non passava giorno che non si sentisse chiedere consigli pratici di estetica, naturopatia, alimentazione e su questioni di cuore. «Tu che sei medico, secondo te questa settimana c'è la luna giusta per tagliarmi i capelli?» oppure, «Tu che ne sai, faccio bene a fare la dieta della cocomera?» oppure, «Gigi mi rifiuta, secondo te tornerà o dici che posso andare con Piero?».

Dopo il terzo incontro con la Marilena, lei gli chiese: «Scusa, cos'hai detto che fai nella vita?». Lui, per prevenzione, le rispose: «Il motociclista». Dapprima le si illuminarono gli occhi perché anche lei adorava tutte le attività che le davano l'impressione di volare rasoterra o a fior d'acqua, come il pattinaggio, il windsurf, il bob, o la semplice bicicletta. Addirittura, nei parchi giochi sbirciava se l'altalena era libera, anche se oramai era una donna fatta. Coltivava in segreto il sogno di una grande casa col giardino, e nel giardino un'altalena altissima appesa a un enorme albero di ciliegio, con una scaletta inchiodata al tronco per salirci sopra. Poi la luce nelle sue pupille si fece fioca e commentò con ironia: «Povera mamma, non mi vedrà mai sistemata con un medico». Hai voglia dopo a convincerla che era un medico per davvero. Per tutto il pomeriggio lei non gli aveva creduto.

Durante le visite in ambulatorio, il dottore si era abituato a qualsiasi tipo di domanda. Ettore, per esempio, lo teneva costantemente allenato. Quella mattina, poi, si era impuntato a voler scoprire cosa c'è nell'aldilà.

«Lei che ne ha viste tante, che idea si è fatto dell'aldilà?» erano state le sue parole precise. Era convinto che, in quanto specialista, il Minelli conoscesse la "verità". L'uomo sospirò. Avrebbe dovuto insistere con gli ansiolitici con quel poveretto. L'esperienza gli aveva insegnato che gli esempi pratici erano i più efficaci, e allora raccontò di un episodio che gli era capitato anni prima all'università. «Sa, Ettore, una volta quando ancora studiavo, ho fatto un tirocinio in geriatria.»

Ettore si sistemò meglio sulla sedia pronto a seguire la storia con attenzione.

«I primi turni mi hanno molto colpito. Non avevo ancora mai visto così tanti anziani tutti insieme. Erano malati, debilitati, molti erano incapaci di fare autonomamente qualsiasi cosa. Alcuni dipendevano già dai respiratori, ma solo per reggere qualche giorno in più.» I suoi occhi si muovevano a piccoli guizzi mentre ripensava a quei momenti.

«Al mattino, quando arrivavo, qua e là trovavo nuovi pazienti al posto di quelli della sera prima. La morte in quel reparto era all'ordine del giorno e dopo la tristezza iniziale, c'ho fatto l'abitudine.»

Ettore continuava ad ascoltare, con le mani schiacciate tra il sedere e la sedia.

«L'ultimo giorno ho staccato il turno alla mezza e lo stesso pomeriggio ho iniziato il turno in ostetricia, sempre nello stesso ospedale. Poco prima della pausa pranzo è deceduto un anziano a cui piaceva ogni tanto scambiare due parole con me. Era sempre da solo e non ho mai avuto il coraggio di chiedergli perché. Avevo vent'anni, ero impacciato, anche se ambizioso. Si è spento in silenzio, in un momento in cui io non ero presente. Quando il medico mi ha chiamato per osservarlo mentre constatava il decesso, ho visto il volto dell'uomo alleviato e mi sono venute in mente tante domande che avrei voluto e potuto fargli solo qualche ora prima. Ma ormai era tardi, non si poteva più tornare indietro. Forse era il suo dolore che mi aveva impedito di avvicinarmi a lui. Non sapevo come gestirlo. Mi faceva paura.»

Ettore tirò su col naso, commosso. Si immaginava disteso su un letto d'ospedale al posto di quel vecchio, con il Minelli chinato su di lui a guardargli le pupille, a tastargli la giugulare. Anche al suo capezzale non si sarebbe presentato nessuno.

«E poi?»

«Alle tre di quel pomeriggio dello stesso giorno mi hanno mandato al reparto di ostetricia e, caso volle, c'era già una giovane partoriente che si contorceva sul lettino... Altro che paura, Ettore! Quello è stato il terrore puro! Lei non ha idea della mostruosità della placenta! Avevo compilato il modulo di un decesso poco prima, e ora un mostriciattolo gommoso mi sporcava di sangue fino agli avambracci e si dimenava con la bocca spalancata e gli occhi spiaccicati di rabbia. Era incazzato nero. La sua bocca era così spalancata che sembrava il buco di un ciambellotto. E le posso dire una cosa, Ettore: da quella bocca urlante usciva il segreto dell'universo. Era tutto lì, racchiuso in quella testolina minuscola. Una sensazione che non dimenticherò mai...»

Il respiro del dottor Minelli era diventato più rapido a quel ricordo così potente.

«E poi?»

«E poi cosa?»

«No, dico, come continua?»

Il medico rimase spiazzato. «Be', non continua. È finita così.»

Ettore lo fissò un momento, serio.

«Allora non l'ho capita» ammise infine.

«Cosa non ha capito?»

«Non ho capito… dov'è che vuole arrivare.» Gli pareva che per l'ennesima volta quel dottorino si fosse distratto: lui gli aveva fatto una domanda esplicita, gli aveva chiesto dell'aldilà e quello gli aveva risposto tutt'altra faccenda.

«Be', da nessuna parte, voglio arrivare.» Ora il Minelli sembrava deluso, quasi risentito. «Non lo so, non lo so io cosa c'è nell'aldilà!»

Gli dispiaceva che quei ricordi intimi e importanti per lui non avessero ottenuto il consenso sperato. «Non sono mica Dio. Ho solo capito nel mio lavoro che nascere e morire è la cosa più normale che ci sia, ecco, a questo volevo arrivare» si passò le dita tra i capelli, irritato. «Si nasce e si muore, la vita è così. Per tutti. E per ogni persona che muore, un'altra nasce. Ecco tutto. Semplice, no? Ma lei, perché passa le sue notti a pensare a cosa c'è nell'aldilà?»

«Perché il mio tempo sta per scadere e io sono fritto come un pesce in padella.»

«Appunto. Il tempo è fatto di minuti contati. Dovrebbe goderseli uno per uno finché è in salute. Non sa che fortuna ha a non avere malanni alla sua età…»

Ettore restò immobile. Nemmeno la briga di stropicciare il fazzoletto si era preso. Cosa ci faceva là dentro, un'ennesima volta? Basta, aveva deciso, quella era veramente l'ultima volta che si presentava in ambulatorio.

Si alzò e si toccò il cappello in segno di congedo.

«Senta Ettore, ma perché viene da me a farmi queste domande? Vada da don Giuseppe se cerca una risposta spirituale» continuò il Minelli, esasperato da quel paziente così cocciuto. Poi, non ricevendo alcuna reazione, commentò a voce alta: «Certo che lei è un tipo veramente strano…».

«E perché mai?» l'interesse di Ettore si risvegliò.

«Perché di tutti gli anziani che seguo, lei è l'unico a farmi queste domande.» Si alzò anche lui in piedi e lo raggiunse alla porta. Le loro voci si disperdevano nel salottino vuoto.

«Lo sa, i vecchi… mi scusi il termine… i vecchi lo sanno di essere vecchi, in genere. E sanno già da tempo che presto dovranno andarsene. Anzi, alcuni ne sono quasi sollevati. Sanno di avere dato tutto quello che potevano, molti hanno faticato tanto e ora sono pronti a riposarsi. Hanno accettato quest'idea, mi spiego? Lei invece…»

«Io invece?»

Il dottore esitò qualche attimo prima di domandare: «Si direbbe che ha ancora qualcosa in sospeso. Ho ragione?».

Ettore non seppe cosa rispondere, ma sentì il cuore scuotergli il torace come se la bestia che dormiva in lui si fosse rigirata nel suo covo.

«Non so, ci dovrei pensare…»

«Bene, allora facciamo così: lei adesso va a casa, ci pensa con calma e…»

«… e la risposta gliela dico un'altra volta.»

10

La confessione

Con le occhiaie al mento, le guance incavate e gli zigomi sempre
più evidenti, Ettore si recò in chiesa. Aveva toccato il fondo. Il
dottor Minelli lo aveva distratto, gli aveva rifilato un'altra domanda in risposta alla sua e lui, goffamente, ci era cascato. Ma non
era tenuto a dare risposte a nessuno, anzi, era lui che esigeva una
spiegazione esaustiva ora che di tempo ne era rimasto così poco.
Non poteva andare avanti così. Le nottate gli diventavano sempre
più insopportabili, le ore sempre più vigliacche e inutili. Le visite
in ambulatorio servivano a fargli passare le mattinate di noia, ma
aveva l'impressione che quel dottorino lì pensasse a tutt'altro che
alle sue paturnie. Su una cosa, però, forse aveva ragione: don Giuseppe era l'unico in grado di dargli chiarimenti spirituali. In fondo
era stato il parroco a innescare tutto con le sue prediche ambigue
e ora toccava a lui rimettere le cose a posto.

«Ettore! Cos'è suzzesso?»

Il religioso rimase basito: ne aveva viste parecchie nella sua vita,
ma che Ettore si azzardasse a cercarlo in chiesa di propria iniziativa
fuori dall'orario di messa non gli era ancora mai capitato.

«Posso parlarvi un momento?»

«Ma zerto, siediti qui accanto a me. Raccontami tutto.»

Ettore allora infilò una mano in tasca e ne estrasse un rotolino
di carta: erano gli appunti dell'altro giorno.

«Ecco… si tratta più che altro di una precisazione…»

Don Giuseppe lo vide svolgere il foglietto pieno di geroglifici indecifrabili.

«Sì, dicevo... Voi avete detto al funerale della vedova Dolci che... nell'aldilà saremo liberi dalle preoccupazioni della mente, dalla sofferenza e dal dolore del corpo.» Sfoderò nell'aria un dito per ogni punto. «È giusto, o mi sono sognato tutto?»

«Sì, l'ho detto e lo confermo. In questa vita terrena non riusciamo a concepire una dimensione senza tempo e senza spazio: i nostri corpi zi limitano. Non possiamo afferrare in pieno l'idea di eternità.»

Ettore sbiancò. Per un attimo, avrebbe preferito scoprire di essersi rincitrullito il cervello e di avere frainteso tutto durante la messa.

«Allora a questo proposito, io avrei una domanda don Giuseppe. Ve la dico?» Proseguì, titubante.

«Sentiamo.»

Ettore prese un bel respiro e si sfogò in un monologo di frustrazione:

«Se le cose stanno così, come può Ermenegildo portare la cesta di funghi? Come può la Iole ricamare per gli angeli? Avete detto che vedremo il volto del Signore, e anche quello di Gesù Cristo, ma come faremo a vederli se *non vedremo* con gli occhi? Avete aggiunto che "volto del Signore" significa "amore senza fine", ma insomma, vedremo o non vedremo? Sentiremo o non sentiremo? Saremo o non saremo? Io non ci capisco più niente, don Giuseppe...».

Il sacerdote diventò livido mentre con la mano si faceva il segno della croce.

«Oh, Ettore! Ti sei svegliato adesso?» fu la sua prima reazione. «La zesta di funghi, la tovaglia ricamata... sono... sono delle metafore, no? È chiaro, perbacco! Te lo devo spiegare adesso alla tua età? Queste sono domande da scolaretto delle scuole medie, ti dovresti vergognare!» Il tono della voce era andato in crescendo e si era concluso con un urlo che era rimbalzato da un affresco all'altro della chiesa. «Va bene che tuo padre non l'hai mai conosciuto, ma dov'eri quando è trapassata la tua povera madre, eh? E tuo fratello? Perché non sei venuto a parlarmi allora, quando avresti potuto giustificarti con l'insolenza della giovane età?»

Un pugno di rimpianto lo colpì allo stomaco. Sì, è vero, da ragazzo non si era fatto questi pensieri. La madre era morta di polmonite quando era poco più che ventenne e il fratello Palmiro, alcolizzato, era stato risucchiato qualche anno dopo da un mulinello nell'acqua del fiume, in una notte di luna calante, probabilmente senza nemmeno rendersene conto. La consapevolezza di avere ancora tutta la vita davanti aveva avuto lentamente il sopravvento sul dolore. Ettore si era crogiolato nel ritmo scandito dalle stagioni, seminando, potando, raccogliendo, vendemmiando e di nuovo daccapo. Aveva provveduto al proprio sostentamento corporeo, protetto dalle mura domestiche. Ma per il resto? Non aveva combinato niente.

«È proprio per la mia età che sono venuto a parlarvi. Non ho più niente da perdere» la voce bassa di Ettore contrastò quella irata del parroco.

«Ma tu stai mettendo in dubbio l'esistenza del Paradiso, ti rendi conto?» replicò don Giuseppe. «È una cosa gravissima! E poi, l'Apocalisse dove la mettiamo, eh? Te la sei persa per strada?»

«Cosa intendete dire?»

«La "resurrezione dei morti e la vita del mondo che verrà" non ti dize niente? Il Credo a messa lo rezitiamo così, per dar aria alla bocca?»

«E quando ci sarà?»

«Che cosa?»

«L'Apocalisse.»

«Ma non si sa!»

«Ah, non si sa?»

«No, non si sa, e non dobbiamo nemmeno saperlo.»

«Be', io stavo solo cercando di capire…»

«Tu non devi capire, zuccone! Tu devi CRE-DE-RE! Non lo sai come si chiama questo? Mistero della Fede! Quante volte l'ho ripetuto a messa? Sei una delusione tremenda! Vieni con me!»

Don Giuseppe lo prese per la giubba e lo trascinò davanti all'altare.

«Guardalo!» gli intimò. Ettore alzò il capo e osservò il crocefisso. Vide un uomo solo e sofferente che non lo ricambiava.

«Guardalo e ripeti venti volte: "Signore, mi hai parlato per tutta la vita e io non ti ho mai ascoltato".»

Don Giuseppe incrociò le braccia e rimase in attesa. «Forza, ripeti!»

«No!» Ettore fu il primo a stupirsi di quel raptus di eccezionale coraggio.

«No cosa?»

«Mi rifiuto» insistette, timido ma ostinato. «Mi sento imbrogliato. Voglio indietro tutto.»

«Di cosa parli, indemoniato!»

«Tutte le offerte che ho fatto in quasi un secolo di messe e anche quelle dei miei poveri genitori. Per principio.»

Don Giuseppe trattenne l'aria nei polmoni per qualche secondo, mummificato. Era quello il risultato di una vita dedicata alla preghiera? Dopo tutto quello che aveva fatto si meritava questa ingratitudine?

«Come ti permetti?» gli uscì soltanto.

«È così. Insisto.»

Il religioso unì pollice e indice alla radice del naso per non perdere le staffe. Doveva mantenere il sangue freddo: un agnello stava fuggendo dal gregge. Era suo compito riportarlo a casa.

«Mi dispiace, Ettore. Quelle offerte non le ho più» ammise poi, a voce bassa.

«E dove le avete messe?»

«Ma lo sai! C'ho comprato la Grande Punto per andare a trovare i fedeli.»

Ettore sbatté velocemente le ciglia, scombussolato.

«Già, è vero…» balbettò, «tutti questi sacrifici, per comprare una Punto…»

Don Giuseppe asserì. «Devo dare esempio di sobrietà.»

L'infedele puntò i gomiti sulle ginocchia e chinò il capo, esausto. Allora non c'era nulla da fare. La vita non era altro che un susseguirsi di accadimenti casuali, per lo più inutili, che terminavano con la propria morte. Che amara scoperta da fare a quell'età!

Al sacerdote si strinse il cuore. «Al massimo potrei farti una controproposta.»

«E cioè?»

«Devo fare un salto in tintoria. Se vuoi un passaggio… ti scarrozzo fino al bar.»

Ettore ci pensò su, lievemente allettato dalla proposta. Ma poi scrollò il capo, risoluto.

«No, don Giuseppe. Vi ringrazio. Preferisco fare una passeggiata a piedi.»

Lasciò la chiesa scoraggiato, e la sua sagoma nera sfumò nel fascio di luce farinosa che proveniva dall'esterno.

11

Festa della Liberazione

Come ogni anno, il venticinque aprile fu una giornata piovosa e grigia. I bambini delle scuole medie del paese si misero in processione capitanati dai maestri e dal prete per raggiungere il cippo a piedi suonando il flauto dolce. Cantavano "Bella ciao", "Fischia il vento", "Là su quei monti" e la canzone dei sette fratelli Cervi. Ogni anno il repertorio si ripeteva, così come si ripeteva, con qualche variazione, il lungo e soporifero discorso del partigiano Basilio.

Pur di ingannare le ore mentre lui vaneggiava di tempi andati e di ricordi, i maestri iniziavano preventivamente a preparare il programma scolastico dell'anno successivo, don Giuseppe e i bambini più piccoli si addormentavano a bocca aperta, i ragazzi più grandi gli sparavano addosso palline di spartiti musicali con la cerbottana. Addirittura gli amici del bar sbadigliavano nascosti dietro ai genitori degli alunni. Ma Basilio non se ne accorgeva, tanta era la concentrazione. L'unica ad ascoltarlo, commossa, era sua nipote Rebecca.

Ogni anno lui tornava a casa con il foglio del discorso ridotto a un colabrodo, e lei pazientemente lo raccoglieva e lo apriva sullo scrittoio per rimetterlo a posto per l'anno successivo.

«Secondo te cosa c'era scritto qui?» chiedeva ogni tanto la nipote contemplando la carta crivellata.

«Non vedi che sto aggiustando il tagliaerba?» le urlava lui di rimando. Oppure, «Prima fammi potare le viti» o ancora «Adesso non ho tempo, devo zappare le patate». Ma finito il lavoro, Basilio trovava sempre una nuova scusa per non sedersi accanto alla nipote. L'unico modo che dava a Rebecca l'illusione di potere accedere all'animo del nonno era aiutarlo a mantenere in vita i ricordi a cui era più legato, mettendo nero su bianco quegli episodi di gioventù che andavano con gli anni perdendo informazioni, colori, dettagli. Allora dove mancavano parole, lei aggiungeva, e dove non sapeva, rattoppava di fantasia. Di anno in anno, i fascisti lievitavano di numero, s'incattivivano, e architettavano trappole sempre più ingegnose. Ma il giovane Basilio non si lasciava cogliere in fallo, coordinava e contrattaccava, sabotava e liberava, mitragliava più di Rambo, resuscitava cadaveri.

«... andai a vedere e trovai il Giustizia sanguinante nel sottobosco, un braccio alzato verso di me. Muoveva le labbra, ma uscivano solo zampilli di sangue. Chiedeva aiuto. Mi guardai intorno e trovai anche Fulmine, poi il Rosso, tutti a terra agonizzanti. Intorno a me, solo compagni aperti come pomodori. Da lontano sentivo muoversi le frasche: il nemico era ancora lì. Non avevo tempo da perdere. Mi caricai tutti sulle spalle e corsi verso il torrente...»

E mentre il pubblico ronfava, il nonno nel leggere le proprie gesta s'impressionava. Che vita strabiliante aveva avuto! Che avventuroso il suo passato! Non come i giovani d'oggi, spompi e senza valori. Ah, avesse potuto Rebecca capire come la vita era diversa allora! Ma lei era un essere delicato, destinato alla contemplazione della natura.

Finito il discorso, i bambini furono svegliati per deporre la corona di fiori davanti ai cippi. Il sindaco Goffredo si avvicinò a Basilio.

«E ora, dopo queste parole avvincenti che rimarranno scolpite nelle nostre anime, propongo un minuto di silenzio.» Il sindaco, Basilio e Rebecca chiusero gli occhi. In quel lasso di tempo, il vecchio comandante pianse gli amici scomparsi, Rebecca gioì per avere fatto contento il nonno un'altra volta, e Goffredo pre-assaporò le pappardelle al cinghiale che avrebbe trovato a tavola. Quando riaprirono le palpebre se ne erano già andati via tutti.

Goffredo strinse la mano al vecchio partigiano e si congedò.

Nel tragitto verso casa, Basilio e Rebecca passarono davanti al negozio di frutta e verdura e videro un cartello dalla tremula scritta: OGI APPERTO.

«Perbacco! Non sa nemmeno scrivere in italiano quello lì» bofonchiò Basilio indignato. «E come si permette di tenere aperto nel nostro giorno di festa?»

Euforico e baldanzoso, decise di entrare nel negozio per insegnare qualcosa di utile al nuovo straniero. Se voleva abitare nel loro villaggio, doveva imparare le tradizioni e le usanze locali.

«Tesoro, tu rimani qua fuori che me lo metti in soggezione» ordinò alla nipote. Lei si acquattò docilmente dietro la porta d'ingresso.

«Buongiorno straniero!»

«Buongiorno» lo salutò il fruttivendolo di rimando.

«Mi dia quel radicchio laggiù, due carciofi e un ciuffo di rapanelli, che stasera si festeggia.»

L'uomo non proferì parola e infilò la verdura in un sacchetto di carta.

«Hai sentito quello che ho detto? Oggi è festa» scandì Basilio alzandosi sui talloni. «Immagino che te non lo sai che festa è.»

«Sì, sì, io so» rispose l'altro sorridendo.

Basilio gracchiò facendo una risata catarrosa. «Ma cosa vuoi sapere te, che vieni da terre selvagge!»

«Sì, sì, io so» insistette l'uomo. «Oggi è festa di liberazione. Io e te uguali: anche mio nonno partisani» si batté un pugno sullo sterno.

«Come dici?» Basilio fece uno scatto all'indietro.

«Mio nonno partisani come te. Morto in guerra in montagna per Grande Jugoslavia. Solo ventiquattro anni.»

Basilio sobbalzò esterrefatto. Si rivide giovane e snello, vestito di stracci, con la barba incolta e le macchie di fango secco sulla fronte e sul collo che gli tiravano la pelle, mentre strisciava in un campo dall'erba alta e fitta, con i volantini arrotolati nella canna del fucile in attesa che si facesse notte. Squadrò il negoziante da capo a piedi fino a farsi venire la cervicale, indeciso se credergli o no.

«Mi prendi per i fondelli?»

«Cosa significa *fondelli*?»

«Culo!»

L'uomo sparì nel retrobottega e ritornò con una foto in bianco e nero bruciacchiata che immortalava un giovanotto in stivalacci e schioppo mezzo sepolto nella neve, con gli occhi brillanti e il sorriso da combattente che aveva avuto anche Basilio nei gloriosi mesi della Resistenza. Gli occhi gli si inondarono di lacrime e il cuore gli si gonfiò nel petto fino a dolergli.

«Come ti chiami ragazzo?»

«Goran.»

Lo prese per il colletto della camicia e lo piegò ad angolo retto con un unico movimento del braccio, fino quasi a sfiorargli il naso appuntito con il suo bitorzoluto.

«Tu, Goran dagli occhi di ghiaccio, da oggi, sei uno di noi! Andiamo alla Rambla a farci un grappino. Offro io.»

«Un momento» lo fermò il giovane. «Io ho qui grappa di mio zio Stanislao. Io offro Rakija a te.»

Estrasse da sotto il banco due bicchierini di vetro e li mise in fila riempiendoli fino all'orlo.

«Allora, *živeli!*» esclamò Goran alzando il bicchiere.

«*Givellì!*» lo imitò il vecchio.

Nel buttare giù il cicchetto, un guizzo turchino colpì l'attenzione di Goran. Qualcosa là fuori si muoveva tra una treccia e l'altra della tenda. Inclinò la testa per focalizzare meglio, e si scontrò con un occhio impaurito di cerbiatta che lo scrutava. Fece per uscire dal bancone, ma in un baleno l'occhio scomparve lasciando solo un turbinio di trecce.

12

Mariti modello

Di tanto in tanto, quando Cesare usciva per andare al bar, Irma chiudeva la porta, infilava le chiavi dentro un vecchio guanto da lavoro e lo nascondeva nella cassapanca esterna che conteneva la legna da ardere e i giornali vecchi. Scendeva le scale con attenzione, aggrappata alla ringhiera per non rischiare di cadere e rompersi il femore, si affacciava alla strada e, se non vedeva spuntare dalla curva nessun motociclista, quelli che lei chiamava "i pazzoidi della domenica" in qualsiasi giorno della settimana, si avviava lungo il ciglio erboso fino alla casa successiva, a un centinaio di metri, dove abitavano Riccardo e Franca.

Il pomeriggio era tranquillo e ventilato, l'afa aveva dato un po' di tregua al paese. Irma si era infilata una vestaglia a fiori e i polpacci sbucavano da sotto, stretti nelle calze contenitive e pieni come zamponi.

Scorse Franca seduta in giardino col cappello di vimini dalla tesa larga e un nastro color crema che si chiudeva in un fiocchetto sul lato sinistro, gli occhiali spessi con le lenti fotocromatiche, una bacinella sulle gambe e un'altra, più piccola, appoggiata su uno sgabellino di legno.

«Ohi!» chiamò Irma per attirare l'attenzione, col fiatone per la camminata.

«Ehi!» Franca alzò la mano in cui teneva un coltello da cucina. La lama, colpita da un raggio di sole, sprigionò una scintilla abbagliante. «Vieni, vieni! Sto pulendo i fagiolini.»

Irma le si affiancò, sollevò la bacinella e si sedette sullo sgabello per riprendere fiato.

Come se Franca avesse saputo del suo arrivo, c'era un secondo coltellino appoggiato sul davanzale. Irma aprì una mano e si fece passare dall'amica una manciata di fagioli da pulire.

«Mi rilassa» commentò.

«Anche a me. Mi fa passare il tempo, soprattutto quando sono da sola.»

Le lame che affondavano nella verdura cruda producevano un allegro e ritmato scricchiolio.

«Eh, sì, chissà cos'avranno da dirsi tutti i santi giorni al bar… è proprio un vizio» lamentò Irma, riferendosi ai rispettivi mariti.

«Lo fanno per liberarsi di noi donne…»

«Ah be', si sentono furbi, ma non sanno che sono loro a fare un favore a noi togliendosi dai piedi!»

Franca reagì con una risatina spensierata. «Però io sono contenta che Riccardo passi il suo tempo al bar… è diventato così bravo, adesso…» commentò.

Irma annuì e continuò a lavorare tenendo gli occhi bassi. Sperò che l'amica non notasse le sue guance arrossite. Riccardo era stato un gran dongiovanni, e Franca aveva sempre sopportato le malelingue senza scomporsi. La malattia lo aveva trasformato all'improvviso in un uomo tutto casa e bar, per la gioia della moglie. Sembrava rinata, rinnovata da un'energia nuova che la portava a vedere tutto sotto una luce idilliaca e romantica.

«Sapessi com'è disciplinato… torna a casa presto. Adora tutto quello che gli cucino. Sai, adesso deve seguire una dieta speciale, ma non si lamenta mai. Ed è così ubbidiente…»

Irma sorrise impietosita. Anni prima Franca e Riccardo avevano avuto un cane, Tobia. Anche di lui Franca diceva sempre: «sapessi com'è ubbidiente…».

«Proprio un marito modello...» bisbigliò Irma in un tono di difficile interpretazione. C'era sarcasmo in quelle parole? Franca scelse di non coglierlo.

«Sì, puoi dirlo forte. Riccardo è un marito ideale, proprio come l'ho sempre desiderato.» Il suo era un sorriso pieno di gratitudine.

«Se vuoi ti regalo anche il mio, di marito. Ogni giorno che passa diventa sempre più sclerotico.»

Franca rise di gusto.

«Dico davvero» insisté Irma. «Mi riempie di moine solo quando deve andare al bar. In casa non alza un dito, non sa fare niente, io sgobbo dalla mattina alla sera e gli corro dietro come a un bambino. L'altro giorno dovevamo andare a trovare Tommaso e quando stavamo per entrare in macchina non trovava più il portafogli con la patente...»

«Oh!»

«L'abbiamo cercato per mezz'ora, siamo tornati in casa e abbiamo messo sottosopra tutte le stanze.»

«E alla fine l'avete trovato?»

«Certo. Sai dov'era?»

«Dov'era?»

«Sul tetto della macchina. L'ho visto io dal balcone. Cesare ha detto che era colpa mia, che l'ha dimenticato là sopra perché io lo distraevo con le mie lagne...» scosse la testa, piena di biasimo.

«Bisogna avere pazienza con gli uomini...» sentenziò Franca, fiduciosa «molta pazienza... io ho aspettato tanto, e guarda adesso...» Dondolava la testa e la teneva leggermente reclinata di lato.

Irma fece una smorfia di dissenso: Franca era una donna devota e conciliante, invece la sua pazienza aveva un limite.

Un tintinnio lontano di acchiappasogni in movimento distrasse entrambe dalle ciance e dal lavoro. A poche decine di metri da loro, dall'altra parte della strada, si ergeva la casetta stretta e alta dal tetto spiovente di Orvilla la Gattara.

Orvilla abitava da sola attorniata da una ventina di gatti selvatici che espropriava all'Appennino. C'era chi andava nei boschi a raccogliere le bacche, chi le more, chi le castagne e i funghi, a seconda del periodo dell'anno. Orvilla prendeva la gabbietta di ferro e andava nel sottobosco alla ricerca di gattini selvatici.

«Altrimenti i bracconieri...» si giustificava.

Anche tra la comunità felina dei monti si era sparso il miagolio del vizio di Orvilla, e i gatti se la davano a zampe levate appena sentivano il suo richiamo stridulo «miciomiciomiciomiciomiciomicio!» e lo schioccare di terrificanti bacetti nell'aria.

La selezione naturale ogni tanto operava a suo favore e qualche cucciolo allo sbando, ormai privo di forze, le andava deliberatamente incontro in preda alla disperazione.

«Oh, povero piccolo, cerchi le coccole, eh?» lei lo stordiva di baci e di carezze, lo infilava nella gabbietta e ritornava a casa felice.

L'ingresso nella casa era festeggiato dal tintinnio dell'acchiappasogni di metallo che sbatacchiava a ogni movimento della porta e a ogni soffio di vento. Come presto il micio avrebbe imparato, quel suono era un ammonimento che stava a significare l'abbandono di ogni utopia. Già dal piccolo ingresso, il piccirillo veniva subito investito dall'odore penetrante di fuliggine, fumo di sigaro, sbobba di verdure guaste, ma soprattutto, piscio di gatto disperato che ha già tentato la fuga innumerevoli volte.

La casa era stretta tra una parete di roccia incolta e la strada statale, un rettilineo della morte su cui sfrecciavano gli umani con qualsiasi mezzo: dalle carrettelle senza motore dei figli dei contadini fino ai cingolati. Non c'era via di scampo: se non era il fumo di Orvilla o della stufa a cicatrizzare i polmoncini, ci pensavano le ruote e i parafanghi delle auto a seminare la morte. In quei casi Orvilla proclamava il lutto per cinque giorni, seppelliva il cadaverino nel suo fazzoletto di prato e ripartiva alla ricerca di nuovi gioviali cuccioli da salvare che le facessero tornare l'allegria.

Dunque dicevamo, Irma e Franca udirono il tintinnio dell'acchiappasogni. Allungarono i colli e videro tre donne, di cui una era Orvilla e le altre due erano delle ragazze giovani e sportive. Orvilla scuoteva la testa, esagitata, e le mandava via col braccio teso verso la strada.

«Chi sono quelle due là?»

«Saranno testimoni di Geova, entriamo in casa.»

Non fecero in tempo: le due donne si stavano già sbracciando verso di loro.

«Cavoli, ci hanno viste!» sibilò Irma a denti stretti.

«Facciamo come se niente fosse. Aiutami a mettere a posto qui.»

Un minuto dopo le due giovani donne entrarono in cortile. Camminavano ancheggiando, con jeans aderenti, polo bianche e scarpe da tennis sprigionando freschezza da tutti i pori.

«Buongiorno!» le apostrofò subito una delle due, una spilungona dal naso fine e lungo, il collo sottile, leggermente proteso in avanti come per bilanciare il corpo. «Vi rubiamo solo un minuto. Siamo venute a parlarvi della struttura per anziani che aprirà sabato prossimo, la Villa dei Cipressi. La conoscete? Ecco, prendete il volantino.»

Franca e Irma osservarono il pieghevole. Sul frontespizio spiccava la villa, un edificio luminoso e imponente che pareva ideato per ospitare personalità importanti e di alto rango piuttosto che miseri anziani di provincia.

«Sappiamo già tutto» rispose Irma.

«Sì, mio marito me ne ha parlato. Mio marito ama condividere tutto con me» ci tenne a mettere in chiaro Franca.

«Che romantico!» reagì la spilungona. «Sapete che abbiamo anche dei bilocali per gli ospiti che decidono di trasferirsi in coppia?»

Le due amiche scossero la testa.

«È come andare in un albergo di lusso. Entrambi serviti e riveriti senza preoccuparsi di nulla.»

Franca e Irma fecero subito un'esclamazione di compiacenza, automatica, quella che si rifila agli sconosciuti che raccontano i fatti loro per non deluderli. Gli istanti successivi li impiegarono a rielaborare le parole udite e in un attimo le teste smisero di girare, le sopracciglia si aggrottarono e un broncio perplesso deformò i loro sorrisi di circostanza.

«Un momento. Non dovremmo più preoccuparci dei nostri mariti?» ripeterono più o meno all'unisono.

«Proprio così.»

«Ma se non ci occupiamo di loro, cosa facciamo tutto il tempo?» chiese Irma.

«La nostra vita non avrebbe più senso» aggiunse Franca.

La donna si batté una mano sulla fronte. «Tipico della vostra generazione…» criticò, occhieggiando la collega, che era più bassa, aveva i capelli crespi e forme tondeggianti. «Anche voi siete convinte che se non trascorrete le giornate al servizio degli uomini, allora state perdendo tempo…»

Irma e Franca si fecero più attente. Entrambe avevano la sensazione di essere testimoni di qualcosa di nuovo, esotico, spaventoso da un lato, ma abbastanza affascinante da volere approfondire l'argomento.

«Perché, non è così?» s'informò Irma.

Per tutta risposta, la collega rotondetta fece tre passi avanti verso le bacinelle. «Cosa c'è là dentro?» Allungò il naso e affondò una mano nei fagiolini lisci e vellutati. «Uh, che belli. Allora era di questo che vi stavate occupando…»

«Sì, li prepariamo per cena per i nostri mariti così quando tornano dal bar...» iniziò a spiegare Franca, che per stare bene doveva accennare a Riccardo in ogni frase.

«Si vede che siete abituate al lavoro manuale» commentò la donna. «Ma se al posto dei fagiolini aveste *creato* con le vostre mani qualcosa per voi stesse... per il semplice gusto di *creare*?»

Franca e Irma si scambiarono di nuovo occhiate interrogative mentre la donna apriva il volantino.

«Ecco. Guardate qui: corsi di ceramica, origami, bricolage, decorazioni con la frutta, bambole di pezza e pittura su sasso per voi che amate la manualità.»

«Ma non ci sono soltanto attività che mettono alla prova le vostre capacità creative,» aggiunse la spilungona, «il programma comprende anche tecniche di rilassamento e di controllo delle emozioni, pratiche meditative per ritrovare il vostro equilibrio interiore e riscoprire voi stesse, come il training autogeno, lo yoga e il nuovissimo Qi gong.»

«Il chi?» fece la Franca stranita.

«King Kong!» le spiegò Irma.

«No! Il Qi gong è una pratica orientale che nasce dall'incontro tra la medicina tradizionale cinese e le arti marziali...»

«No, no, Riccardo dice sempre di lasciar perdere la roba cinese» disse pronta Franca.

«Va be', ma almeno lasciala finire di parlare, no?» la rimbrottò Irma che era interessata a riscoprire se stessa. Vedeva in quelle curiose attività ludiche un diversivo alla routine familiare. Cesare non faceva che ripeterle che era una rompiscatole e negli occhi dei figli Anna e Tommaso le sembrava di leggere la stessa opinione. Si ricordava di un tempo in cui non si sarebbe mai definita tale, di un tempo in cui si considerava una donna tenace, forte, pratica, laboriosa, generosa. Invece i rimbrotti e le lamentele di Cesare le avevano modificato il carattere, l'avevano resa insicura. Certo, a lui non lo dava a vedere. Faceva come aveva sempre fatto, con il solito piglio deciso e i gesti meccanici, autorevoli. Di tanto in tanto, però, quando il marito staccava l'auricolare, si allontanava mentre lei ancora gli stava parlando o faceva finta di dormire per non rispondere alle sue domande, si sentiva persa. Davvero era così insopportabile? Davvero tutte le piccole attenzioni quotidiane per Cesare, i figli e i nipoti erano percepite come soffocanti, invadenti e fastidiose? In quel caso, perché non buttarsi in qualcosa di nuovo e appagante per se stessa?

«Vi ringraziamo tanto, ma non siamo interessate, vero Irma? Siamo completamente gratificate dalle nostre famiglie» rispose Franca, ormai annoiata dalle due donne.

«Sì, sì. Però magari un volantino lo teniamo…» Irma abbozzò un sorriso. L'amica si girò per controllare se stesse dicendo sul serio.

La rotondetta annuì. «Volentieri, non vogliamo mettervi nessuna fretta, ma soltanto informarvi che non è mai troppo tardi per vivere una vita piena.»

«Con o senza mariti» concluse la collega.

Se ne andarono sculettando e parlottando tra loro verso la fermata della corriera.

«Be', non ti interesseranno mica quelle cavolate femministe?» gli occhi di Franca facevano spola tra il volantino e Irma.

«No, figurati, era solo per farle contente e mandarle via» tagliò corto lei. Sapeva che Franca non avrebbe capito, soprattutto in questa fase della sua vita.

Infilò il pieghevole nella tasca della vestaglia.

«Vado anch'io, si è fatto tardi…»

«Porta a casa un po' di fagiolini per stasera.»

«Va bene, la prossima volta ti porto delle pesche, ho l'albero stracarico.»

Si spartirono i fagiolini e Franca accompagnò la vicina fino in fondo al cortile. Da lontano videro Orvilla che trafficava con un badile in mezzo alla strada, incupita. La salutarono con la mano e lei restituì il saluto prima di fermarsi e asciugarsi la fronte.

«Tutto a posto?» le urlò Franca dalla cancellata. Orvilla scrollò il capo sconsolata. La videro chinarsi di nuovo e grattare via con la pala un triste pellicciotto incollato all'asfalto.

13

L'inaugurazione della Villa dei Cipressi

La mattina dell'inaugurazione della Villa dei Cipressi, Goran si svegliò presto. Quello era un giorno speciale anche per lui. Appena alzato, andò alla cassettiera e rispolverò un vecchio calendario a cui teneva molto, risalente al 1975 e dedicato al maresciallo Tito, ultimo simbolo del sogno infranto di una Jugoslavia unita. Era un regalo di suo padre. Lo sfogliò con commozione: di mese in mese, le pagine raccontavano a colori di un personaggio mitologico che aveva saputo tenere unite etnie diverse, parlare con astuzia ai potenti della Terra, incantare le donne più desiderate della cinematografia. Eccolo ad aprile mentre passeggiava con un ghepardo al guinzaglio, a giugno seduto su una sedia a sdraio tra i vigneti dell'isola di Brioni; a settembre in cappotto lungo appoggiato alla sua Cadillac e a ottobre accarezzato dalla proboscide dell'elefante regalo di Indira Gandhi. Nell'ultima pagina, frotte di bambini lo salutavano con le mani alzate, i denti da latte di fuori come coniglietti. Un giorno di gennaio, da piccolo, Goran si era seduto sulle ginocchia di suo padre e insieme avevano sfogliato il calendario sul tavolo della cucina. «Ecco, lo vedi quel bambino in terza fila a sinistra? Sono io!» gli aveva raccontato il padre per scherzo. E lui lo aveva immensamente ammirato.

Goran baciò ogni pagina con grande attaccamento e consumò la colazione a base di salsicce, cipolla cruda e salsa di peperoni in meditabonda nostalgia. Poi prese carta e penna e appese sulla vetrina del negozio un avviso con su scritto: OGI CIUSO: COMM-PLEANO TITO. Fatto ciò, prese il telefono e fece quindici telefonate tra amici e parenti. Dopodiché incrociò le gambe e si concesse una lunga dormita festiva.

Nel frattempo Le Casette di Sopra si preparava all'evento dell'anno. Ne avevano parlato per mesi i giornali, la televisione locale, i sindaci, gli assessori, le parrucchiere, i tabaccai e gli addetti delle poste. Addirittura i bambini sapevano che presto avrebbero dovuto far visita ai nonni in un edificio grande come un castello e moderno come un palazzo di vetro.

Il sindaco Goffredo, Corrado e i collaboratori del Comune avevano rivoltato il paese come un calzino nei tre giorni precedenti. Avevano eliminato ogni immondizia e decorato ogni angolo con striscioni colorati, bandierine e manifesti che immortalavano anziani con sorrisi abbaglianti e che più della pubblicità di un ricovero, sembravano pubblicità del Polident.

In pinetina, il parco adiacente alla Villa dei Cipressi, fu allestito un grande palcoscenico a baldacchino, con decorazioni floreali in collaborazione con la fioreria del paese e il negozio di pompe funebri che sponsorizzava l'evento.

Alle ore sedici come da copione, si accesero le luci sul palco e una dozzina di giovani majorette infilate in corti camici da infermiere marciarono con gli stivaletti bianchi e l'asticella roteante a suon di tamburi e fischietti, facendo circoli a otto, scambiandosi di posto, piroettando su loro stesse senza perdere mai il sorriso. Le loro labbra, dipinte di rosso lucido, erano ciliegie volanti che facevano venire voglia a qualsiasi uomo di allungare le mani per acciuffarle al volo.

Applausi e gridolini s'innalzavano dalla folla numerosa, che mai aveva visto una festa così pomposa al di fuori della tradizionale parata di carnevale.

In un angolo appartato per non distrarre la folla, appoggiata al tronco di un albero, Rebecca fotografava i balletti e i discorsi nascosta dietro al suo obiettivo.

Gli amici della Rambla erano sparpagliati tra il pubblico. Basilio aveva ordinato alla compagnia di disperdersi tra i presenti, per scongiurare il rischio di una retata.

«Sono onorato di vedervi così numerosi» stava dicendo al microfono il direttore Cimino. «Come sapete, la Villa dei Cipressi è la versione ampliata della vecchia casa di riposo giù a Le Casette di Sotto. Abbiamo lottato per questa nuova struttura e, dopo tanti sacrifici, il magnifico risultato è davanti agli occhi di tutti. I nostri pazienti sono stati trasferiti quassù e possono godere adesso di stanze più spaziose, moderne, climatizzate, con un'incredibile vista sui monti.»

La fase successiva prevedeva che tre ospiti selezionati portassero sul palco la loro esperienza ai microfoni. A fare da moderatrice, Franca e Irma dalla platea riconobbero l'assistente spilungona che era andata a trovarle, questa volta con i capelli raccolti in uno chignon.

«Cosa amate di più della casa di riposo?» domandò al microfono.

La vecchina in sedie a rotelle bardata fino al collo da una coperta blu rispose: «La vellutata di cavolfiore».

«Che coincidenza! È anche la mia preferita!» il direttore batté le mani, esaltato più del dovuto. «Basta con le minestrine insipide! Chi dice che con gli anni dobbiamo rinunciare ai peccati di gola? Il nostro nuovo chef prepara ogni giorno creme, vellutate e zuppe saporite quanto quelle dei migliori ristoranti stellati; provare per credere!»

Il secondo intervistato, moribondo, con la testa impegnata in un perenne movimento centrifugo disse la sua: «Il... la... il...». La parola successiva non si capì e dopo tre tentativi, la valletta dichiarò che il microfono andava a singhiozzi e andò oltre.

L'ultimo, munito solo di bastone, rivelò: «Quando fa bel tempo mi siedo su una panchina e scrivo poesie».

«Un poeta!» enfatizzò il direttore. «Quanti di noi si sono spezzati la schiena per sfamare la famiglia sacrificando le proprie ambizioni artistiche? Nel nostro parco di due ettari, nonni e pensionati potranno finalmente ritrovare l'ispirazione per scrivere componimenti e romanzi best-seller seduti sulle panchine delle pagode, sfiorati dai petali delle magnolie in fiore.»

Ci fu un applauso commosso e la banda riprese a suonare.

Al rimbombo lontano dei tamburi, Goran si risvegliò e con braghe di lino e camicia aperta, raggiunse la piazza col passo di chi se la prende comoda. Rimase in disparte, si appoggiò a un tronco di pino, con le mani in tasca e un filo d'erba in bocca, e seguì il discorso del sindaco con il consapevole distacco di chi presenzia a una festa senza essere stato invitato.

«E ora le nostre collaboratrici vi passeranno i dépliant su cui troverete il modulo d'iscrizione e un tagliando omaggio per partecipare alla prima serata del nostro cineforum: un ciclo di incontri pensato per i nostri ospiti senior da una équipe di psicologi esperti.»

Al passaggio delle fanciulle in uniforme tra il pubblico, i volantini vennero acchiappati, rubati, contesi, raccolti da terra, gettati come coriandoli. Quando non rimase nulla da distribuire, le ragazze ricomposero due trenini umani e risalirono sul palco utilizzando le scalette alle due estremità. Un'altra giravolta ed ecco che, come per magia, già tenevano in mano una decina di bottiglie di spumante con le quali innaffiarono la folla.

Gino sentì qualcosa appendersi con forza al pantalone sinistro. Chinò la testa e si trovò a pochi centimetri dal naso un faccino furbo incorniciato da un caschetto lucido come il piumaggio di un merlo.

«Michelina! Ci sei anche tu?» questa volta fu facile riconoscerla.

«Sì, mia mamma mi ha portato a vedere le majorette. Da grande voglio fare la ballerina.»

«Oh che bello.»

«Oppure la paleontologa… o la truccatrice… o la vigilessa… o la cantante… o…»

«Tutto, ma la vigilessa no! Promesso?»

Lei ridacchiò grattandosi la pancia. «Promesso.»

«Michela vieni subito via, lo sai che non puoi stare lì!» a chiamarla era un bambino pieno di lividi, con le ginocchia sbucciate che li osservava a distanza di sicurezza.

Lei assunse un'espressione preoccupata e andò più vicino al vecchio.

«È vero che sei pericoloso?» gli sussurrò in un orecchio.

«Mi vedi pericoloso?»

«La mamma dice che non devo assolutamente avvicinarmi alla tua Ape, neanche se è spenta, e se sente di nuovo dire in giro che ti ho aiutato a farla partire mi mette in punizione per tutta l'estate.»

Gino, sgomento, non ebbe il tempo di replicare perché un richiamo perentorio fece volatilizzare la bambina all'istante.

«Tra pochi minuti proseguiremo col taglio del nastro all'ingresso e apriremo il buffet!» Di nuovo al microfono, la voce elettrizzata del direttore sovrastò il chiacchiericcio della folla.

Per godere del buffet bisognava mettersi in coda e seguire le frecce rosse incollate ai lampioni. Là, nella sala polivalente erano già pronti stuoli di pasticcini, tramezzini, torte e budini per ogni palato e protesi, acqua, succhi di frutta, tisane e infusi.

«Alt! Dove credete di andare?» esclamò Basilio vedendo i compagni mettersi diligentemente in fila.

«Andiamo a mangiare, che è gratis» rispose Ettore in tutta sincerità.

«No! È troppo pericoloso! Quelli vi fanno il lavaggio del cervello e una volta entrati là dentro non vi fanno più uscire. Chissà cos'hanno infilato dentro a quella robaccia. Puah!» sputò teatralmente per terra.

«Salutate vicini e parenti senza dare troppo nell'occhio e troviamoci entro quindici minuti al bar.»

Poco dopo Elvis sprangò l'ingresso con una trave di legno, accese le luci e dichiarò fumo e rutto liberi.

«Non vi siete chiesti come mai si chiama proprio "Villa dei Cipressi"?» Basilio attaccò con la ramanzina non appena tutti si furono riuniti attorno al solito tavolo. «Il cipresso è il simbolo della morte e l'ospizio ne è l'anticamera! Ci toglieranno la libertà di fare quello che ci pare: dovremo mangiare quello che vogliono loro all'ora che decidono loro, ci daranno pillole per dormire e per calmare gli impulsi, ci imporranno stupidi programmi televisivi per impappamollarci i cervelli e dovremo sottostare alle loro attività di svago e alle ginnastiche riabilitative. Dovremo far finta di scompisciarci dalle risate con quei coglioni dei clown di corsia e dimenticarci delle partite a carte, delle bocce e per non parlare della pesca. Avranno orari prestabiliti in cui i parenti dovranno venirci a trovare, proprio quelli che ci hanno buttato là dentro! È un'ingiuria! Io allora vi dico: morte sì, ma con onore!»

Gli altri assentirono.

«Fino a quando ci sarò io nessuno, dico nessuno della brigata della Rambla metterà un piede là dentro. Siamo intesi?»

«Puoi dirlo forte!»

Elvis offrì un giro di grappa a tutti e si brindò all'amicizia.

Lo stomaco di Ettore si esibì in borbottii di disappunto. L'odorino di polpettine, tramezzini e gnocco fritto gli aveva pizzicato il naso e solleticato l'appetito. La prospettiva del buffet lo aveva coccolato durante i discorsi istituzionali e aveva rimpiazzato quella misera del solito minestrone. Dalla villa si erano levati aromi di un menu finalmente diverso dal suo, che sapevano di benvenuto, di compagnia. Si cacciò in bocca una mentina per tappare la fame e se ne stette in mesto silenzio.

Quando si udì qualcuno bussare alla porta, gli amici stavano ingollando il secondo giro di acquavite. Messi in allerta, si scambiarono occhiate veloci.

«È Corrado! Via tutto!»

«Riccardo, pigia al sachèt!»

Elvis si spalmò sul portone e guardò nel buco.

«Fermi! Non è Corrado!»

«E chi è?»

Era un'anziana in vestaglia e giacca a vento, magrolina, bassa di statura, seppur rosea in volto e morbida sui fianchi come una pera cotta.

D'istinto Elvis le aprì e lei entrò con passi piccoli e rapidi, alla giapponesina, un po' inclinata in avanti, come a cercar qualcosa per terra.

«Lilli… Lilli…» gemeva.

Si fermò davanti alla tavolata e solo allora fissò negli occhi i presenti.

«È qui Lilli?»

«Chi sarebbe?»

«La mia gatta. È bianca con macchie nere e grigie.»

Prese una sedia e si sedette tra Ettore e Cesare nel più completo agio. Ci furono occhiate rapide, alzate di sedie, schiarite di gola e grattate di orecchi per esprimere un certo imbarazzo maschile.

«No, non abbiamo visto nessun gatto.» Riccardo fece da portavoce.

I boccoli candidi e sottili le arrivavano appena sotto le orecchie. Gli occhi erano cerulei, le sopracciglia due linee quasi invisibili, il naso piccolo ma ricurvo, la forma del viso rotonda, le guance floride, seppure segnate dall'età.

«Come si chiama?» le chiese Elvis.

«Lilli.»

«Non la gatta, lei!»

Basilio avvitò la punta dell'indice alla tempia, per far capire ai compagni che alla signora mancava una rotella.

«Io? Teresa.»

Ettore s'intenerì. Teresa, che nome soave!

«Io sono il barista Elvis, e loro sono Basilio il Partigiano, Cesare il Sordo, Riccardo Sacchetta, Gino Apecar ed Ettore il Putto.»

Teresa regalò un sorriso collettivo.

«Dove ha visto la sua gatta per l'ultima volta?» s'informò Cesare.

«Ero nella mia camera, ho aperto la finestra per dare aria, e credo che sia scappata.» Teresa alzò il braccio per indicare un punto alle sue spalle e a quel movimento, la manica morbida della camicia le scivolò scoprendo il polso e una fascetta di carta plasticata rilasciò un breve luccichio. Basilio si alzò in piedi.

«Orrore!» frinì indicando il braccialetto, «Questa è una rincitrullita dell'ospizio! Una morta che cammina!».

Osservò lo sguardo docile, il sorriso infantile, la chiara accondiscendenza nel portamento dell'anziana. Nemmeno a quelle illazioni lei aveva battuto ciglio, dunque, non poteva essere che così.

«Poverina, si è persa…» dedusse Ettore.

«Ma quale persa! È una spia! Ce l'hanno mandata apposta!»

«Dài, piantala di vedere complotti dappertutto!» s'intromise Gino, «È chiaro che si è persa, dobbiamo portarla indietro.»

«Sì, portiamola indietro! Non possiamo tenerla qui» convennero gli altri.

«Non capite! Lei è l'esca per abboccarci tutti. Se ci presentiamo là sarà la nostra fine!»

«Ma adesso sono tutti presi con la festa. E poi non possono obbligarci.»

«Vi dico che ci schederanno! E al prossimo passo falso…»

«Allora cosa facciamo?» era la voce di Riccardo.

«Già, cosa facciamo?» rincarò Cesare.

Nel frattempo Teresa seguiva tutto da spettatrice, come se ascoltasse le conversazioni di personaggi in una telenovela. Elvis sbirciò fuori sollevando la tenda: nella semioscurità alcune persone stavano scendendo alla spicciolata dalla direzione dell'ospizio. Chiacchieravano tra loro, tenevano in mano volantini, fiori e cibarie di ogni sorta rubate al buffet. Un furgone bianco simile a un'ambulanza scendeva fino all'incrocio a passo d'uomo, quasi a seguire il ritmo dei pedoni. A osservare con più attenzione, l'autista rivolgeva la testa verso il lato della strada, come a cercare qualcuno tra i pedoni. Seduta accanto a lui, una collega pettoruta di mezza età in camice chiaro ispezionava con lo sguardo da accalappiacani il marciapiede al suo lato. Arrivato all'incrocio, il pulmino svoltò a sinistra e passò a velocità moderata davanti al bar sprangato.

«Sta passando il pulmino del ricovero» avvisò Elvis, «Sono venuti a cercarla!»

«Allora non ci resta che aspettare. Non possiamo farli entrare qui dentro» decise Basilio.

«Appena si tolgono dai piedi l'accompagno io con l'Ape» annunciò Gino.

«No!» urlarono tutti all'unanimità. Sentì una mano sul braccio che lo teneva bloccato alla sedia.

«Manica di cretini» commentò.

«La porterò io col Fiorino» la proposta di Elvis sembrò la soluzione più saggia.

«Nel frattempo cosa facciamo?» domandò Cesare. «Non possiamo discutere di certe cose davanti a lei.»

«Distraiamola.»

Si rivolsero a Teresa che non aveva modificato la sua espressione pacifica.

«Sai giocare a carte?» chiese Basilio.

«No.»

«Neanche a rubamazzetto?»

«No.»

«Allora cosa sai fare?»

«Mi piace giocare a morra.»

«A morra? Ma è per poppanti!»

Nonostante le diffidenze iniziali, giocarono a turno contro di lei ed Elvis le portò una camomilla ben concentrata per calmarla. Pareva che non si divertisse tanto da secoli. Sparava numeri a casaccio e sembrava che il piacere più grande consistesse nel dondolio delle braccia a destra e a sinistra più che nella verifica del punteggio ottenuto. Ormai sceso il buio, la infilarono in macchina e le fecero "ciao" con la mano fino a quando le luci della vettura si dispersero nell'oscurità.

Un quarto d'ora dopo Elvis era di ritorno, vittorioso.

«Allora? Ti hanno fermato?»

«Macché! Non mi hanno nemmeno visto. L'ho scaricata alla rotonda, a due passi dalla cancellata.»

«Ma... l'hai abbandonata così, in mezzo alla strada?» disse Ettore inquieto.

«Abbandonata... che parole grosse! E poi non l'ho lasciata in mezzo alla strada, ma sul ciglio» specificò Elvis. «Vai tranquillo, Ettore, è filato tutto liscio, puoi starne certo.»

Il bar era di nuovo pregno di odori maschili, ma la breve permanenza di Teresa aveva cambiato le vibrazioni al suo interno. Era rimasto un sentore di novità, un residuo di brezza leggera.

14

Segni del destino

Per la prima volta dalla morte di Ermenegildo, Ettore passò la notte tormentato da una nuova visione: una povera anziana sola che brancolava nell'oscurità. Elvis sarà pur stato convinto, ma chi gli garantiva che lei stesse dormendo indenne nella sua stanza? Lo stesso Elvis aveva ammesso di averla sbolognata alla rotonda, senza il minimo accorgimento. E se avesse preso la direzione opposta, verso Le Casette di Sotto? Si sarebbe persa tra i tornanti, nel bosco, al buio pesto, lontano da chi poteva sentire i suoi richiami. Gli venne voglia di mettersi su il paltò e andare a vedere, ma non ebbe abbastanza fegato per farlo davvero.

Adesso prendo su e vado a vedere. Adesso prendo su e vado a vedere.

Ma le lancette giravano e lui rimaneva lì immobile nel letto con gli occhi sbarrati, come il solito codardo. C'era freddo fuori. L'aria era da cervicale. Era notte, anche la torcia elettrica sarebbe servita a poco, solo a fargli prendere paura con le ombre. Cambiò posizione. *Se domattina sono ancora vivo, è destino che devo fare qualcosa.* Ma cosa? Sarebbe dovuto andare a cercarla al ricovero, di nascosto dagli amici del bar, e in particolar modo da Basilio. Quello scorbutico sarebbe andato su tutte le furie se l'avesse saputo nella tana del nemico, l'avrebbe preso come un tradimento e lui non voleva passare per traditore.

Se domattina sono ancora vivo... Dio, mi hai parlato per tutta

la vita e io non ti ho mai ascoltato. Dio, mi hai parlato per tutta la
vita e io non ti ho mai ascoltato. Dio...

Il mattino dopo, al risveglio, si rallegrò del fato propizio. Indossò il vestito buono e s'incamminò verso il centro. In genere, arrivato all'angolo del fornaio, andava in piazzetta, dove il dottor Minelli aveva il suo ambulatorio. Ma quel giorno il medico era di riposo e poi c'era qualcos'altro che gli prudeva. Si affrettò a comprare la *Gazzetta* per vedere se per caso avevano scritto qualcosa su un cadavere ritrovato in una scarpata. Col giornale sottobraccio, si sedette su un muretto e sfogliò le pagine fino alla rubrica delle notizie locali. Nessuna notizia di un ritrovamento, ma poteva anche darsi che Teresa non fosse ancora stata localizzata, oppure che il ritrovamento fosse avvenuto a notte fonda, o all'alba, troppo tardi per l'aggiornamento del giornale. Trovò però un articoletto con tanto di immagine granulata in bianco e nero dell'inaugurazione della Villa dei Cipressi e riconobbe i volti e l'aria di festa del pomeriggio precedente.

Era assorto nella lettura quando una ventata di scarico gli scompigliò il paginone. Ettore alzò lo sguardo e vide la Punto nera di don Giuseppe che gli era appena passata davanti e ora si fermava a una decina di metri, là vicino al cassonetto dei rifiuti. Il parroco scese con una cassetta di bottiglie vuote e lo salutò.

«Ehilà, Ettore! Come andiamo?»

Dopo l'ultimo incontro poco pacifico, Ettore si sentì in difficoltà sul da farsi. Piegò "alla carlona" il quotidiano e rimase sul chi va là.

«Aspettate... volete una mano?» domandò per cortesia, sperando di ricevere una risposta negativa.

«Sicuro! Vieni qua e tienimi la cassetta sollevata, per favore.»

Ettore raggiunse balzelloni l'auto.

Il prete gli consegnò la cassetta e, una alla volta, prese le bottiglie e le infilò nell'apposito contenitore cilindrico rilasciando frastuoni ritmici di vetri rotti. Ettore era in tensione: nonostante l'aria apparentemente soddisfatta, era convinto che anche don Giuseppe stesse soltanto recitando la parte di quello sicuro di sé. Si studiavano l'un l'altro di sbieco, tra un fragore di cocci e l'altro.

«Be' allora, cosa leggevi di bello?» il parroco indicò il giornale sotto l'ascella di Ettore.

«Leggevo dell'inaugurazione…»

«Ah, roba grossa, eh?» don Giuseppe s'illuminò, «Hai sentito com'era buono il buffet? Una cosa sensazionale, mi sono fatto una scorpazzata che non ti dico.» Si massaggiò la pancia, «Purtroppo è già finita la musica. Sto andando su al ricovero proprio adesso: un'estrema unzione.»

Il cuore di Ettore precipitò a terra e con lui anche la cassetta di legno. Allora era successo davvero qualcosa di brutto a Teresa!

«Lo sapevo! Lo sapevo!» piagnucolò disperato.

«Ettore, mo cosa z'è?»

«Oh Signore, perché non ho fatto niente? Perché non sono andato a cercarla?» continuò maledicendo se stesso, in preda all'angoscia.

Don Giuseppe si scrollò la barba ricciuta.

«Di cosa stai parlando, Ettore? Calmati!» si sedettero insieme sul muretto. Ettore non riuscì a contenersi e raccontò tutto, dell'incontro di Teresa al bar, del passaggio di Elvis, della preoccupazione di non sapere che fine avesse fatto la donna.

«E adesso l'avrò per sempre sulla coscienza…»

«Ma cosa dizi, tontolone! L'estrema unzione è per Salvatore, il figlio del mugnaio, poveretto!»

Ettore si raddrizzò come un fiore baciato dal sole e prese la buona notizia come un ennesimo segno della provvidenza. Non poteva fare finta di niente questa volta. Il destino era stato chiaro.

Il proposito della notte precedente si era concretizzato: era ancora vivo e con molta probabilità lo era anche Teresa. Doveva agire. Non si sarebbe fatto sfuggire altri giorni preziosi. Si asciugò gli occhi e si rassettò la camicia. Scrutò il don con apprensione e tirò fuori tutta l'audacia di cui era capace.

«Don Giuseppe, la proposta dell'altra volta... è ancora valida? Posso salire su con voi?» chiese tutto d'un fiato.

Don Giuseppe lo squadrò per un momento, serio. Poi entrò nell'abitacolo, si allungò verso il lato dell'accompagnatore, sollevò la maniglia, aprì la portiera e ordinò: «Infilati la zintura».

All'ingresso della Villa dei Cipressi, don Giuseppe fu salutato come il Papa. Accanto a lui Ettore si sentiva un pischello intento a fare qualcosa di proibito, e si faceva piccolo piccolo a ridosso della parete.

«Sono qui per Salvatore...» annunciò il parroco, «e... solo un'informazione: dove alloggia Teresa?» chiese con nonchalance.

«Nella trentotto» un'infermiera tarchiata indicò un punto in fondo al corridoio.

Il prete diede a Ettore una leggera gomitata, e lui, recepito il messaggio, attese che le infermiere si dileguassero per avanzare di gran carriera verso l'obiettivo. La stanza era la terzultima a sinistra.

Non poteva crederci. C'era riuscito. Era davvero lì, di nascosto dagli amici, alla ricerca di una sconosciuta. In vita sua non aveva mai osato tanto. Lui non era mica come Basilio. Lui la guerra non l'aveva saputa fare. Si era nascosto sotto le coperte e aveva pregato che non lo venisse a prendere nessuno. Era stato fortunato.

Davanti alla porta chiusa, si passò le mani sulla faccia imperlata di sudore e bussò.

«Chi è?»

Ettore riconobbe subito la candida voce.

«Sono Ettore» rispose emozionato come non mai.

«Ettore chi?»

«Il Putto.»

Nulla.

«Non conosco nessuno con quel nome. Si descriva.»

Ettore esitò e iniziò a stropicciare il fazzoletto. Aveva i secondi contati e le cose non erano andate come sperava. Non aveva calcolato che ci sarebbe voluto così tanto per aprire una porta.

«Ho gli occhi azzurri, un solo dente e porto il cappello anche adesso che fa caldo.»

Ci fu di nuovo silenzio.

Ettore appoggiò timidamente la testa contro la porta.

«Ma sì, Teresa, sono io, Ettore. Ci siamo conosciuti ieri sera alla Rambla, non si ricorda?»

Dopo una breve esitazione, la voce della donna risuonò definitiva.

«Se ne vada, o la prendo a stampellate.»

Quella minaccia pronunciata da una vocina così esile gli provocò in modo inaspettato un'irreprimibile scossa di frenesia. S'immaginò Teresa dall'altra parte della porta avvolta nella soffice vestaglia, tutta profumata di gelsomino.

«Posso aiutarla?»

Ettore si voltò.

Alle sue spalle un'infermiera sorridente dai denti bianchi e cavallini lo fece sobbalzare di spavento. Questa non ci voleva.

«Buongiorno, io sono… ehm» si tolse il cappello in segno di reverenza lasciando brillare la testa calva alla luce del neon.

La donna lo esaminò da capo a piedi con aria dubbiosa.

«Ma lei non è l'amico di Gino?» lo riconobbe e si sciolse in un sorriso pieno di compassione. «Io sono Sandra, l'ex assistente del

Comune. Adesso lavoro qui, mi pagano di più. Perché lei e Gino non venite ad abitare qui da noi? Saremmo lieti di ospitarvi come in una nuova famiglia.»

Merda! Basilio aveva ragione! Ettore tremò di terrore al pensiero della sua reazione.

«No, veramente, sono qui con don Giuseppe. Sono venuto a rendere omaggio alla signora Teresa.»

«Ah, vi conoscete?»

«In realtà l'ho conosciuta ieri, cercava la sua gatta e...»

Sulla bocca dell'infermiera si dipinse un'espressione addolorata mentre con i suoi grandi occhi lucenti di vita e di giovinezza trafiggeva Ettore.

«La sua gatta? Be', sono nuova qui e non la conosco ancora bene, ma vede, Teresa è un po'... confusa. L'età le gioca brutti scherzi e confonde il presente con il passato, gli oggetti, le persone...»

Ettore rifletté su quelle parole.

«Significa che non c'è nessuna Lilli?»

«Oh sì, è esistita» intervenne una seconda infermiera più anziana dall'aria poco simpatica e la voce mascolina. Spingeva un carrello di panni sporchi con un'andatura da scaricatore di porto «ma Teresa l'ha regalata ai suoi vicini di casa quando è arrivata nella nostra struttura precedente, ormai diversi anni fa. È vietato tenere animali al ricovero. La gatta poi è scappata quasi subito e non è mai più tornata, ma a Teresa piace parlarne come se fosse ancora con lei.» L'infermiera spinse il carrello in avanti e lo usò come ariete per entrare in una stanza riservata al personale. Sandra fece spallucce e tornò a rivolgersi a Ettore.

«Come vede è meglio se lascia tranquilla la nostra ospite, però se vorrà venire ad abitare qui da noi sarò felice di darle una consulenza privata.» Gli strinse le mani con un tale calore che il vecchio poté chiaramente percepire le malefiche intenzioni del diavolo che lo stava inducendo in tentazione sotto le sembianze di una procace infermiera dall'aria benevola e misericordiosa.

«Magari un'altra volta…» asserì con il cuore in gola, regalando un sorriso stentato. Si dileguò veloce verso l'uscita. Fuori la Grande Punto nera di don Giuseppe lo stava giudiziosamente aspettando.

15

Un fiore non colto

La seconda volta che Ettore fece visita alla Villa dei Cipressi fu la settimana successiva per il giro delle confessioni ai degenti. Questa volta lui e il parroco si coordinarono meglio. Invece di lasciarlo a girovagare da solo per i corridoi, don Giuseppe lo accompagnò fino alla stanza.

«È il mio chierichetto» disse alle inservienti.

Ettore era talmente agitato che ebbe l'impressione che il suo dente avesse iniziato a dondolare. Rivoli di sudore gli scivolavano da sotto il cappello.

«Buongiorno signora Teresa, sono don Giuseppe. Posso entrare?» domandò il prete da dietro la porta.

Si udì quasi subito un movimento metallico nel chiavistello, e il viso spaesato di Teresa fece capolino, tagliato a metà dallo stipite della porta.

«Prego don Giuseppe, entri pure!»

Ettore provò invidia e un forte senso d'ingiustizia, ma non ebbe il tempo di obiettare: Teresa gli stava finalmente davanti, in tutta la sua minuta statura.

«Sto passando di stanza in stanza per presentare il mio assistente. Questo è Ettore, un caro ragazzo, sa? Davvero un ottimo aiutante…» gli batté la mano sulla spalla due volte.

Lei studiò prima il sacerdote, poi il nuovo arrivato.

«Ha una faccia familiare…» si avvicinò. «Assomiglia tanto al postino…»

Non ci fu tempo di ribattere che già la porta si richiuse alle loro spalle: don Giuseppe se l'era squagliata.

Un capogiro s'impadronì di Ettore. Rimase in piedi con la stessa angoscia di un attore sul palco della prima. Aveva desiderato far visita a Teresa e, ora che c'era riuscito, avrebbe voluto essere da tutt'altra parte.

La stanza era davvero minuscola. Ettore notò con terrore che non c'era nulla su cui sedersi, a parte un letto che, tra quelle quattro pareti strette, appariva ancora più grande della norma. Per carità! Non si era mai seduto nello stesso letto con una donna che non fosse stata la sua povera madre, ma quei ricordi risalivano a così tanti anni addietro, che era come se fossero appartenuti a qualcun altro. Allora si sentì deluso e sollevato al tempo stesso quando Teresa non lo invitò affatto a sedersi, ma lo fece rimanere in piedi per tutta la visita.

«No, Teresa, ci siamo conosciuti l'altra sera al bar.»

Negli occhi le balenò una luce.

«Oh, sì? Ha visto Lilli?»

«No, mi dispiace, Lilli non l'ho vista.»

Lei puntò verso la finestra, quasi volesse cancellare la risposta appena ricevuta. Prese un piccolo annaffiatoio di latta dal davanzale, lo riempì per metà al piccolo lavandino e annaffiò un ciclamino fucsia.

«C'è sempre qualcosa da fare qui dentro, anche se sembra così piccola…» disse infine.

Ettore si sentiva impacciato. Saltellava su un piede e sull'altro, incapace di instaurare una conversazione.

La camera di Teresa era curata, pulita e ricca di oggetti di buon gusto. Aveva fiori freschi sul comodino, creme per il viso, cipria e una boccetta di profumo, dalla quale Ettore presumeva che venisse la sua inebriante fragranza di bouquet. Aveva quadri colorati alle pareti, e addirittura alcuni libri di poesie che rammentarono con stupore a Ettore l'assenza totale di libri in casa sua. Non aveva neanche una Bibbia e questo gli fece provare un forte senso di solitudine.

«E così lei è l'assistente del prete?» ridacchiò.

«Sì, da poco... cosa c'è di così divertente?»

«Be', alla sua età...» sorrise lei placida.

Ettore avvampò: non voleva sfigurare davanti a lei. Raccontò che era putto, ed era così che lo chiamavano tutti, perché non era sposato, non aveva figli. Aveva molto tempo libero. Negli ultimi tempi aveva sentito la necessità di sfruttare questo tempo e di fare qualcosa per la comunità che lo facesse sentire utile. «Perché a volte, sa com'è, a volte tutto questo tempo libero fa sentire un po' soli.»

Fu allora che Teresa si sedette sul bordo del letto e a mani giunte lo sbalordì con la seguente dichiarazione: «La capisco bene. Sa, sono vergine».

Ettore sentì le ginocchia cedere e dovette attaccarsi allo schienale del letto per non cadere.

«Tu sei...» senza rendersene conto, Ettore passò d'istinto al più confidenziale *tu*.

«Ho aspettato un uomo inutilmente. Ha sposato un'altra. Non per amore» ci tenne a specificare. Teresa posò gli occhi malinconici sui vigneti fuori dalla finestra.

«Non parliamo di cose tristi, per favore.»

A Ettore si bagnarono gli occhi. Una vita di noia e in un niente si era imbattuto in una persona così simile a lui. Vide Teresa come una bambina invecchiata, come un frutto acerbo e appassito senza avere attraversato la fase di maturazione, né essere stato assaporato da qualcuno. Un frutto non colto, invisibile, caduto dall'albero in un'annata di abbondanza e dimenticato nell'erba. Si chiese per chi si truccasse, per chi indossasse quei vestiti eleganti alla sua età, per chi preparasse quella piccola stanza di ricovero con la dovizia di chi si aspetta da un momento all'altro una visita attesa da tempo.

Il suo flusso di pensieri fu disturbato dalle voci di due inservienti e da quella di don Giuseppe che conversavano in corridoio.

«Devo andare, Teresa.» Ettore alzò e riabbassò il cappello, in
segno di saluto. «Posso tornare a trovarti? Ti fa piacere se passo
ogni tanto a farti un po' di compagnia?»

«Sì, va bene.» L'anziana alzò le spalle e rise come una ragaz-
zina. L'immagine di quegli occhi ridenti tenne Ettore lontano dal
pensiero della morte per tutta la notte.

16

A mani vuote

L'acchiappasogni vibrò i suoi rintocchi argentei. Orvilla si avvicinò alla finestra e spostò i brandelli di stoffa penzolante che una volta erano stati una tenda. All'ingresso c'era Ettore che attendeva a mani giunte.

Orvilla inalò profondamente dalla bomboletta spray anti-asma, e nei dieci secondi in cui trattenne il fiato si accertò che non ci fossero gatti pronti a schizzare fuori dalla porta. Uscì di sghembo, richiudendola subito dietro di sé. «Ve' chi si vede!»

Ettore alzò il cappello. Non era del tutto insolito che passasse a farle un saluto. Quando faceva visita a Cesare e Riccardo, spesso allungava il percorso e si fermava per cinque minuti. Era diverso tempo, però, che questo non accadeva. L'ultima volta che l'aveva vista era stata nella saletta d'attesa del dottor Minelli.

«Sono venuto a vedere se per caso hai un gatto.»

«Ohohohoh! Di gatti ne ho...» rise Orvilla.

«Cioè... volevo dire una gatta femmina. Con macchie bianche, nere e grigie.»

Orvilla si fermò a riflettere.

«Così su due piedi... non credo. Ma entra, vieni a vedere tu stesso.» Gli fece cenno di avvicinarsi. Ettore saltellò sulle lastre di palladiana che formavano il breve sentiero del giardino.

«Fai attenzione che non escano!» si raccomandò Orvilla prima di aprire la porta di pochi centimetri, lo stretto necessario per farlo passare di traverso, senza cappello.

Ettore si trovò praticamente al buio. L'unica finestrella da cui entrava un velo di luce era quella della cucina, ma lo spesso strato di caligine trasformava la luce del sole in un lontano bagliore. Nell'oscurità, lucine iridescenti appaiate si accendevano e spegnevano a intervalli regolari. Danzavano, sparivano e ricomparivano in ogni punto della casa, fin sul soffitto. Erano gli occhi dei gatti prigionieri che studiavano la presenza estranea.

Un puzzo immondo, opprimente e desolante, invase le narici di Ettore. Pensò a quanto la casa di Gino figurasse linda e ordinata in confronto alla tana di Orvilla.

«Non vedo quasi niente…»

«Aspetta, apro una persiana, ma dobbiamo stare molto attenti. È pericoloso!» la donna scalciò barattoli, lattine e altri oggetti non identificati. Girò una maniglia e aprì un'imposta facendo entrare un raggio di luce.

Ettore si ritrovò al centro di una stanza praticamente affumicata. Tutto era imbrattato di caligine, dal divano alle pareti, dai quadri storti, alle piante stecchite. Notò che, al contrario di casa sua, lì c'erano moltissimi oggetti e ninnoli di dubbia utilità, lasciati nel punto in cui erano senza una logica precisa. Anche Teresa aveva molte cose, ma erano belle e ordinate. La solitudine aveva molti modi di manifestarsi, pensò.

Le circa due dozzine di gatti che girovagavano tra il mobilio erano di mantello grigio.

«Ma sono tutti grigi?»

«No, aspetta…» Orvilla ne acciuffò uno per la collottola, lo batté come un panno vecchio, e lasciò che la fuliggine si depositasse al suolo. Il gatto assunse un manto tigrato nero e marrone.

«Questo non va bene» commentò, scientifica. Ne prese un altro, lo squassò, ma si rivelò striato come il precedente. Proseguì con un terzo, un quarto, un quinto ma il risultato non cambiò: erano tutti tigrati.

«Che dispiacere, non ne ho nemmeno uno a macchie. Forse potrei andare nel bosco…»

«No, lascia stare. È stata un'idea sciocca. Era solo uno sfizio personale» la tranquillizzò Ettore. Che poi, cosa ne avrebbe fatto di una gatta uguale a Lilli, se al ricovero non erano ammessi animali? Voleva forse portarla a casa con lui? Be', forse… Perché no? Si sarebbe trovata bene nella sua casa, c'era anche un bel campo di viti che si allungava fino al fiume. Avrebbe potuto portare a casa anche Teresa e dirle «ecco, qui c'è posto per tutt'e due, per te e per Lilli, mi prendo cura io di voi, non preoccupatevi.» Sì, sarebbe stato davvero bello avere una casa piena di oggetti nuovi, pregna di nuovi profumi, vibrante della presenza di Teresa.

Un tonfo improvviso seguito da miagolii agitati spaventò Ettore e strappò un urletto a Orvilla.

«I ladri!» esclamò Ettore, ma Orvilla fece di no col capo e corse ad agganciare la persiana.

«Era uno dei miei gatti. È scappato!» gemette Orvilla, intristita. «Non avrei dovuto aprire la finestra, succede sempre così…»

Estrasse dal grembiule la bomboletta spray e inalò una nuova spruzzata di antinfiammatorio. «Scusami, non ce la faccio, preferisco rimanere da sola se non ti dispiace» lo accompagnò alla porta e controllò che Ettore, uscendo, non la aprisse troppo. Attraversando il cortile in silenzio, Ettore sentì che la donna stava singhiozzando sommessamente. Pensieroso, rincasò a mani vuote.

17

Vacanze

L'aria della campagna era veramente più salubre e rarefatta di quella di città. Lo si sentiva subito. Nicola ne ebbe la conferma quando scese dalla station wagon e si riempì i polmoni di odori antichi e familiari. Era a casa, di nuovo. Dopo un lungo inverno, finalmente tornava in villeggiatura, seppur per un breve periodo, ma sufficiente per ritemprarsi, staccare dal ritmo incessante dell'ufficio e sistemare qualche faccenda. Gli venne incontro il cane di Mafalda, un segugetto nero dalle sopracciglia beige e un ululato da allarme antifurto.

«Bill, sta' zitto! Sciò! Sciò!» Carmen cercava di cacciarlo giù mentre lui le intrufolava il muso tra le pieghe della gonna e le annusava i piedi infilati nei sandali.

Fiutava singolarmente ogni dito per poi benedire il tutto con uno starnuto di apprezzamento. Faceva un giro su se stesso e poi riprendeva ad abbaiare come un forsennato e a piombare sulla Carmen e su Nicola senza ritegno. Preferiva la Carmen, perché insisteva a muovere le mani su e giù per tenerlo buono e più lei insisteva, più il gioco gli pareva simpatico. Con Nicola non c'era divertimento. Apriva il portabagagli, scaricava le valigie e con la scusa di essere indaffarato, faceva quasi come se lui non ci fosse.

«Cos'è questa cagnara? Prendo il bastone!» Alla parola "bastone" Bill si fece cagnolino di peluche. Mafalda era scesa a fare gli onori di casa. Invece del bastone si sfilò una ciabatta imbottita, ma ebbe lo stesso effetto intimidatorio. Bill inarcò la schiena, schiacciò le orecchie e fece scomparire la coda tra le zampe, finalmente muto.

«Ben arrivati! Avete trovato traffico?» La donna rubò la valigia a Nicola, nonostante le sue insistenze a fare da solo. «Spero proprio che siate affamati perché c'è una teglia d'erbazzone appena sfornata che vi aspetta.»

«Oh, la mia dieta…» gemette Carmen, già con l'acquolina in bocca.

Nicola gongolò. Lui non era a dieta e una settimana di cucina emiliana non gliel'avrebbe levata nessuno. Carmen purtroppo ai fornelli era un disastro.

Affittavano sempre la stessa camera un po' per tradizione e un po' per fare un favore a Mafalda. La località non era turistica e lei era un po' come una parente, una cugina di secondo grado. Durante l'infanzia, avevano trascorso molto tempo insieme. Gino era stato insegnante di matematica, ma quanto generoso era con i numeri, altrettanto avaro era con le parole. Per i suoi lunghi silenzi la moglie Ludovica lo aveva lasciato, in pieno boom economico, e si era portata via un Nicola adolescente. «A Torino avrà più chance» si era giustificata. Non era difficile da intuire, dopotutto. Il ragazzo aveva concluso gli studi, aveva iniziato a lavorare come commercialista in un piccolo studio privato e ora poteva vantarne uno tutto suo, con una segretaria e sei dipendenti.

Aprì la finestra e si fermò a contemplare il sali e scendi delle colline e il profilo bluastro delle montagne all'orizzonte.

Mafalda portò la teglia in tavola e tagliò grossi quadrati di erbazzone fumante.

Carmen si massaggiò la pancia, ma poi prese una bella fetta e l'addentò con gusto. La mollò subito dopo sulla tovaglia e si lasciò sfuggire una serie di urletti perché si era bruciata la lingua. Subito dopo scoppiò a ridere.

«Ti trovo proprio in forma, Carmen, sai? Si vede che venite dalla città. Sempre così elegante, guarda che belle unghie che hai! Che mani curate! Potessi averle io... ma qui, a cosa mi servirebbero?» commentò Mafalda.

Distese la mano e la lasciò galleggiare nell'aria per immaginarsi se uno smalto di quel rosa perlato sarebbe stato bene anche a lei. Forse sì. Forse anche quell'ombretto sfumato, quel rossetto scarlatto e i capelli con la messa in piega alla moda le avrebbero donato. Agghindata come la Carmen chissà, forse sarebbe stata anche più bella di lei. Si schiarì la gola e osservò entrambi mentre masticavano con le bocche piene e soddisfatte. Sorrise tra sé. Di certo il suo erbazzone era imbattibile.

«Hai già visto tuo padre?» domandò a Nicola.

«No, ci siamo sentiti al telefono, prima di partire, ma lo sai com'è fatto. Non mi vuole dire niente di sé. Sono preoccupato...»

«È sempre stato schivo, e con la vecchiaia... vi faccio un caffè?»

«Volentieri.»

Carmen annuì con la testa, impossibilitata a parlare da un boccone irresistibile. L'erbazzone si era raffreddato e niente poteva più fermarla.

Fuori passò un trattore e Bill riattaccò la musica.

«Vorrei vederlo sistemato, seguito da persone competenti...» continuò Nicola, sincero.

«Hai saputo del nuovo ricovero?»

«Sì, siamo qui anche per questo. Cosa ne pensi?»

«Dicono che sia un posto a modo, pulito, attrezzato... ma sai, io non me ne intendo di queste cose...»

«Mio padre non ne vuole sentir parlare, ma so che da solo non sta bene. Io non posso tornare qui, ho il lavoro, Carmen ha le ricerche in laboratorio, Katia deve finire gli studi...»

Mafalda posò le tazzine davanti ai due ospiti. Nicola accennò un

113

sorriso di gratitudine. Mafalda intuiva le sue preoccupazioni: non doveva essere semplice per lui, trapiantato in un'altra realtà, ricomparire lì due volte all'anno e pensare di prendere le decisioni giuste. Sentiva di conoscerlo bene, li univa il legame speciale dell'infanzia. Osservò la mano di Nicola che girava con concentrazione il cucchiaino nella tazza senza farlo tintinnare. Peccato che le loro vite avessero preso strade così diverse. Sarebbero andati d'accordo, se solo non fosse partito.

18

Voglio andare all'ospizio

‹Allora ti dai una mossa? Non faremo in tempo!» Cesare tamburellava le dita sul volante in attesa che Irma scendesse le scale.

«Ho controllato se la luce del bagno era spenta, la lasci sempre accesa.»

«Hai proprio una bella testa a volere scendere in città con quest'afa… scommetto che non avranno tempo per noi» commentò Cesare immettendosi sulla strada. Si riferiva ai loro tre nipotini Carlotta, Filippo e Marco. Marco era figlio del loro primogenito Tommaso, mentre gli altri due erano i figli di Anna. Stavano per partire per il campeggio estivo organizzato dal doposcuola e avrebbero trascorso due settimane al mare per la prima volta senza i genitori. La sera prima, Irma aveva telefonato ben tre volte per salutarli e fare le sue raccomandazioni, ma all'ultimo secondo aveva deciso di andare a salutarli di persona. Si sarebbero ritrovati tutti a casa di Anna e poi Tommaso e la moglie Valeria avrebbero portato i bambini al punto di ritrovo.

In macchina Irma si strinse la torta di frutta tra le mani. Era chiusa in un contenitore sigillato ma, per sicurezza, l'aveva avvolto in un canovaccio a sua volta protetto da una busta di plastica che teneva ben salda tra le sue dita tornite.

«Attento che c'è un pazzoide in agguato» Irma gli indicò una motocicletta in avvicinamento.

«L'ho visto, non cominciare a dirmi come devo guidare» rispose con un'occhiata ammonitrice.

Irma lo sbirciò a sua volta di sottecchi.

«Ma come ti sei conciato?» commentò disgustata, notando il suo abbigliamento.

«Perché?»

Indossava la maglietta rossa a maniche corte che portava nei giorni di festa estivi.

«Te la sei messa anche l'ultima volta e anche quella prima, vuoi che ci prendano per due straccioni?»

«Ma è pulita…»

«È logora. Non vedi come si è schiarita a forza di lavarla? Ti sta malissimo. Fermati per piacere.»

«Fermarmi? E dove?»

«Qui. Adesso. Subito. Parcheggia in piazza.»

Erano arrivati giusto in centro a Le Casette di Sopra. Non si sentivano nemmeno gli uccellini cinguettare; era l'ora della siesta pomeridiana.

«Non vedi che è tutto chiuso? Cosa ti sei messa in testa?» Cesare iniziava a irritarsi.

Irma scese dall'auto e si avviò verso l'edicola di Ennio con le inferriate sigillate.

Unì le mani a imbuto e urlò sotto la sua finestra.

«Ennio! Affacciati, è urgente!»

Si udì un cigolio di persiana e un rumore di chiavistello. La finestra di Ennio però rimase immutata. Era Guido il muratore che abitava di fianco e voleva origliare. Subito dopo un'altra persiana cigolò, accostandosi appena appena, ma anche quella non era di Ennio: proveniva dal piano di sopra dove viveva la famiglia del farmacista.

«Ennio! Ho bisogno, affacciati prima che esca tutto il paese!» urlò di nuovo Irma e le persiane si richiusero in sincronia.

Finalmente Ennio fece capolino, con gli occhi strizzati e le guance stropicciate dal cuscino.

«Cosa c'è?»

«Mio marito ha bisogno immediatamente di una maglietta nuova.»

Ennio aprì un occhio e sbirciò, prima Cesare, poi la donna, con ostilità.

«Chiamo la Nanda.»

Poco dopo la porta sul retro cigolò e i due si accomodarono dentro.

«Sei pazza» bofonchiava Cesare, «ti pareva il caso di mobilitare mezzo mondo?»

Irma scrollò le spalle.

L'edicola di Ennio era un negozio multifunzionale: fungeva da rivendita di giornali, cartoleria, tabaccheria e merceria. L'angolo della merceria era gestito dalla sorella Nanda e i due parevano gemelli da quanto se la intendevano. Non fisicamente, poiché lui era robusto e bruno di carnagione, lei filiforme e olivastra, quanto nelle affinità attitudinali. Entrambi poco loquaci, comunicavano tra loro a occhiate. Chi entrava in negozio veniva subito simultaneamente radiografato e poi con sguardi e occhieggiamenti, si scambiavano opinioni. Conducevano interi dialoghi senza parlare, con il solo movimento dei muscoli facciali.

«Cesare cerca qualsiasi cosa da sostituire a questa» disse Irma prendendo tra indice e pollice un angolo della manica del marito con aria schifata.

Le specialità della merceria erano in realtà reggipetti di taglia abbondante, calzettoni da uomo, calze contenitive, pancere, mutandoni traspiranti, pigiami ospedalieri, canottiere bianche a costine, grembiuli da cucina, vestaglie, fazzoletti, rocchetti di filo da rammendo. In caso di estrema necessità tenevano di riserva qualche capo d'abbigliamento, sempre triste e fuori moda che non si prendevano neanche la briga di esporre in vetrina. Nanda appoggiò la scaletta allo scaffale, salì tre gradini e trovò una camicia azzurrina avvolta in una plastica trasparente.

«A maniche corte ho solo questa.»

«Vado in camerino…» disse Cesare.

«Ma no» lo bloccò Irma «non perdiamo tempo.» Gli sfilò la maglietta davanti a Ennio e Nanda che si scambiarono fugacemente un rapido tic.

Prese la camicia dalle mani di Nanda e gliela infilò in pochi secondi.

«Visto? Abbiamo già fatto.»

«Me la sento un po' larga…»

Irma fece un passo indietro e valutò l'insieme.

«In effetti sembri un po' un sacco del pattume… non ci sarebbe per caso una taglia in meno?»

Ennio socchiuse solo l'occhio sinistro e Nanda portò una taglia inferiore.

A procedimento ripetuto, Irma si ritenne soddisfatta.

«Ti sta a pennello. Apri le braccia.»

Cesare sbuffò ma obbedì all'ordine e proprio mentre era lì con le braccia aperte e l'Irma gli chiudeva il colletto, si sentì un rumore di nocche picchiettare contro la vetrina.

Sulla strada Basilio e Riccardo, con le mani unite a paraocchi per vedere meglio nella penombra del negozio, si stavano godendo la scena con ironia.

«Uh, guarda che bel bambino!» lo sbeffeggiò Basilio.

«Ti stai già preparando per andare a scuola?» Riccardo caricò la dose.

«Manca solo un bel fiocco blu al collo e poi è pronto…»

«Piantatela, somari! Non avete qualcos'altro da fare invece di stare lì come due spioni?» rispose Cesare.

«Non vi preoccupate, ve lo riporto sano e salvo nel tardo pomeriggio» ironizzò Irma.

«Agli ordini, capo!» Basilio fece il saluto militare e poi si rivolse a Cesare. «Ti aspettiamo dopo al bar!» Prese il braccio di Riccardo e sparirono ridacchiando.

Irma scosse la testa, poi tornò al suo dovere.

«Bene, prendiamo questa.»

Ennio fece cenno a Irma di avvicinarsi alla cassa mentre Nanda tagliava l'etichetta della camicia che Cesare avrebbe tenuto direttamente addosso per il pomeriggio.

A compravendita terminata, Ennio si avvicinò alla porta d'ingresso e aprì le inferriate.

«Uscite pure dall'ingresso, tanto ormai è ora di aprire il negozio.»

«Perché, che ore sono?» domandò Cesare.

«Le tre e venti.»

Irma si batté la mano su una guancia. «Cristo, le tue medicine!»

Si fermarono di nuovo a casa a prendere le pastiglie e dalla fretta Cesare se le fece quasi andare di traverso. Ripartì tossendo e con la gola che ancora bruciacchiava.

«Vai piano!» gli ricordò la moglie appena il tachimetro segnò i cinquantotto chilometri orari. Dallo specchietto retrovisore Cesare vedeva le montagne farsi sempre più lontane, avvolte da nuvole bianche che le coprivano come panna. Via via che macinava i chilometri, le colline si addolcivano, i prati si spogliavano degli alberi e le coltivazioni si riducevano a orti e giardini sempre più ridimensionati. Al posto delle abitazioni in sasso, si susseguivano centri e quartieri di nuova costruzione, con edifici a diversi piani. Molti appartamenti riportavano affissioni di agenzie immobiliari, con prezzi di vendita e di affitto. Alcuni erano vuoti, abbandonati. Altri edifici si ergevano paralleli e talmente vicini che i condòmini di un piano, affacciandosi alla finestra avrebbero potuto benissimo stringere la mano ai condòmini dell'altro. Non soltanto l'aria era più inquinata e appiccicosa, ma l'atmosfera che si respirava era diversa. La gente per strada sembrava immusonita, gli automobilisti suonavano il clacson, non rispettavano le precedenze, sorpassavano a destra e si insultavano a vicenda. Per fortuna erano quasi arrivati.

«Hai visto quella macchina al semaforo?»

«No, non c'ho badato… chi era?»

«Erano Tommaso e Valeria con i bambini!»

«Non può essere, avevo detto ad Anna che saremmo passati.»

«Sono certo che erano loro.»

«Ti sarai confuso…»

Due chilometri più avanti svoltarono in un quartiere di villette a schiera costruite da poco con colori stravaganti dal giallo al rosso carminio. Come ogni volta, commentarono tra loro quanto quelle case nuove e moderne fossero brutte, piccole e scomode con quei balconcini minuscoli e i giardini stretti e senza alberi. La porzione di casa in cui abitava Anna era stata acquistata dai genitori del marito prima che si sposassero, quando Fabio era stato assunto all'ufficio esteri di un'azienda metalmeccanica a pochi chilometri da lì.

Appena Anna aprì la porta, Irma e Cesare si stupirono del silenzio che proveniva dall'interno.

«Be', i bambini stanno dormendo?» chiese Irma meravigliata.

«No, sono appena partiti, non li avete incrociati?»

«Visto? Erano loro, avevo ragione io!» la punzecchiò Cesare.

«Ma volevamo salutarli… non li rivedremo più per le prossime due settimane!»

«Lo so, mamma, mi dispiace, ho provato a farli restare ancora un po', ma lo sai come sono scalmanati. Marco si è fissato con l'idea di andare a mangiare il gelato prima di partire e ovviamente Carlotta e Filippo gli hanno subito dato man forte. A Valeria è venuta l'emicrania e Tommaso voleva portarli via il prima possibile.»

«Avevo fatto la torta di frutta…»

«Ti avevo detto di non portare nulla. Con questo caldo poi…» la rimbrottò Cesare.

«Be', non importa, ce la mangiamo noi… vero, Fabio?» Anna si girò verso la veranda in cui il marito si era rintanato a telefonare e a fumarsi una sigaretta. Aveva la fronte contratta e gesticolava nervosamente. Accortosi dei suoceri in salotto fece un breve cenno di saluto con la mano e continuò la telefonata.

«È molto preso… sta organizzando una trasferta in Turkmenistan per l'azienda» spiegò Anna ai genitori accigliati. «Sediamoci, ho del tè freddo…»

Nemmeno un'ora dopo Irma e Cesare s'infilavano di nuovo in macchina cercando di nascondere la loro delusione.

«Hai visto che non serviva la camicia nuova? Non l'ha notata nessuno!»

«Come potevo sapere che erano tutti così occupati? Puoi sempre sfoggiarla la prossima volta.»

«Mi hai fatto solo perdere tempo e soldi…»

«Non ti ho mica obbligato a comprarla, eh?»

«Come no! Hai fatto una piazzata al negozio…»

«Non è vero!»

«Non urlare!»

«Urlo perché sei sordo.»

«Sono sordo perché tu urli.»

«Ah, adesso è colpa mia se sei diventato sordo?»

«Mi sa proprio di sì…»

«Ah, dabòn?»

121

«Sè, dabòn!»

Irma incrociò le braccia sul petto. Le labbra erano piegate a mezzaluna verso il mento, come se agli angoli della bocca penzolassero due mollette da bucato.

«Cos'è? Te la sei presa?» Cesare le scosse una gamba.

«Non mi toccare e guarda avanti. Guidi peggio di Gino! Ma almeno lui è mezzo orbo…»

«Dài che scherzavo…»

«No, non scherzavi.»

«Ecco, lo vedi? Ti sto chiedendo scusa e tu continui imperterrita. Sei una rompipalle!»

A Irma salì il magone. Di nuovo Cesare l'aveva chiamata in quel modo avvilente. Si sentiva profondamente infelice. Non era arrivata in tempo per salutare i nipoti, il genero l'aveva ignorata, Cesare era scocciato e Anna l'aveva sopportata per compassione. Le sembrava che andasse tutto storto e nonostante si facesse in quattro per gli altri, nessuno riconosceva i suoi sforzi.

Avrebbe voluto fermare il tempo, tornare indietro a due ore prima, no anzi, a dieci, trenta, cinquant'anni prima, a quando era ancora nubile e sarebbe potuta partire per Parigi e lavorare come domestica a casa di qualche famiglia benestante. Le era sempre piaciuta l'idea di andare a Parigi. Aveva un cugino che nel dopoguerra ci era andato per lavorare ed era rimasto e poi non l'aveva più sentito.

«Ti devo dire una cosa, Cesare, hai le orecchie ben sintonizzate?»

Ricevette un mugugno in risposta.

«Voi andèr a l'ospìsi» annunciò freddamente a braccia conserte.

«Ndo vòt andèr?»

«A l'ospìsi!» Irma alzò il tono e le partì uno sputacchio nel pronunciare la seconda sillaba che centrò la lente destra degli occhiali di Cesare.

«Ti ha dato di volta il cervello?»

«No, perché? Così non mi senti più urlare e puoi fare finalmente quello che ti pare. Tanto sei capacissimo di fare tutto da solo, non è vero?»

Cesare continuò a guardare la strada davanti a sé, imperscrutabile. Non aveva per niente voglia di mostrarsi sensibile a quelle provocazioni puerili. Era chiaro che Irma voleva solo spaventarlo e magari si aspettava che lui inchiodasse e la pregasse in ginocchio di restare. Proseguì la guida facendo finta di non essere affatto impressionato. Le nuvole che avevano lasciato in montagna ora si erano fatte grigie e minacciose. Dal nulla, una goccia grossa come una nespola si sfracellò contro il vetro. Ne seguì un'altra e poco dopo ne caddero altre tre. Un lampo illuminò il cielo e un tuono poderoso aprì le danze a una tempesta estiva.

«Accendi i tergicristalli» disse Irma.

«Lo so!» sbraitò lui. Cesare sbuffò e per qualche secondo ci fu silenzio. Irma, ormai in vena di discutere, riprese a sostenere la sua teoria. «Ecco, lo vedi? Se me ne andassi, saremmo tutti più contenti. Tu potresti guidare come ti pare, vestirti come ti pare, mandare giù le pastiglie quando ti pare... hai anche imparato ad accendere il gas sotto la pasta. Se ti ricordi di spegnerlo dopo dieci minuti, sei a cavallo. E io... hai sentito, no, che là dentro fanno anche attività creative?»

«Per esempio?»

«Per esempio la lavorazione della creta. Penso che mi piacerebbe. E ci insegnano anche a fare le bambole di pezza.»

«E questo ti piacerebbe? Fare pupazzi di stoffa e impiastricciarti di fango?» Cesare storpiò la bocca in modo curioso, come se avesse ingoiato qualcosa di acido. Irma si girò verso il finestrino. Fuori l'acqua scrosciava e scorreva uniforme lungo il vetro. Sentì il ticchettio della freccia e il ghiaino del cortile che scricchiolava sotto le gomme. Erano arrivati a casa. L'auto si fermò sotto il balcone, al riparo dalla pioggia.

«Be' allora, è tutto quello che hai da dire? Non ti dispiace neanche un po' se me ne vado?»

Negli occhi di Irma c'erano sfida e supplica insieme, ma Cesare non colse né l'una né l'altra. Si era sentito un inetto alla merceria, Irma lo aveva trattato come un bambinone incapace, Basilio e Riccardo lo avevano sbeffeggiato, si era quasi strozzato con le medicine e alla fine, era stato tutto inutile, non aveva fatto in tempo a salutare i nipoti e Anna non aveva notato la sua camicia nuova. E tutto questo era successo soltanto perché per l'ennesima volta aveva dato retta a sua moglie. Ebbe l'impressione di avere passato la sua esistenza alla stregua di una marionetta i cui fili erano ben annodati alle dita di Irma. Ma quand'è che aveva preso una decisione di testa sua in quella casa? Era ancora in tempo a riprendersi la propria autonomia? Irma stava ancora aspettando una risposta. Lui la gelò con una frecciata tagliente.

«No, no, anzi, mi hai convinto. L'è propria una bèla idea. Quand at partiss?»

Irma salì in casa e si chiuse in bagno, profondamente ferita. Fuori il temporale si era già sfogato e la luce iniziava a rischiarare il cielo. Non voleva più uscire da lì, non con Cesare dietro la porta che origliava, per lo meno.

«Dài, Irma, non fare la bambina, apri!» la chiamava.

«No, vai via, non voglio parlarti!»

«Non voglio parlarti neanche io, ma g'ho da pisèr!»

«Và al bar a pisèr, s'et scapa!» ribatté lei aspra. Udì il tonfo della porta d'ingresso chiudersi e il passo arrabbiato di Cesare che si allontanava. Non se l'era fatto ripetere due volte, constatò amareggiata. Stando così le cose, non le rimaneva che agire. Uscì dal bagno, andò in camera e tirò giù dall'armadio una vecchia valigia di pelle. L'ultima volta che l'aveva usata era stata dodici estati prima quando era andata ad aiutare Anna e Tommaso con i bambini piccoli al mare, una vacanza sfiancante durante la quale si era sobbarcata le incombenze più pesanti per permettere ai figli di riposarsi. Da allora la valigia era rimasta sopra all'armadio a prendere polvere.

Irma ci soffiò sopra e la riempì di vestiti. In cucina, distribuì ciò che era rimasto del ragù in buste monodose trasparenti e fece lo stesso con le fettine di arrosto. Infilò tutto nel freezer e riordinò la stanza. Telefonò a Franca e le disse: «Mi assento per qualche giorno, ti lascio il numero di Anna per le urgenze».

Prese la valigia, chiuse la porta e andò alla fermata ad aspettare la prima corriera per Reggio Emilia.

19

La presa di coraggio

«Dottor Minelli, ma lei lo sa come mi chiamano a me?»

Il medico aggrottò le sopracciglia, perplesso.

«… il Putto?»

«Esatto» Ettore si schiarì la voce. «Ma lo sa perché mi chiamano così?»

Il dottore fece finta di riflettere prima di trarre la sua conclusione. «Non saprei… forse perché… Non ha mai preso moglie?»

L'anziano fece una pausa, poi precisò: «Non è del tutto corretto».

«Cioè?»

«Non ho mai avuto nemmeno una morosa.» Prese a stropicciare il suo fazzoletto.

Il medico l'aveva sentito dire in paese, ma un po' per affezione, un po' per divertimento, non se la sentì di rubargli la scena in quel momento di confessione così intima. Fece un'espressione stupita e incrociò le mani sotto il mento.

«Mi sorprende, Ettore. Con quegli occhi grandi che si ritrova, sono certo che da giovane ha fatto girare la testa a decine di fanciulle.»

Ettore emise un mugolio indecifrabile. Strizzò il fazzoletto e deglutì, cercando il coraggio di dire a voce alta quello che aveva pensato di dire per tutta la notte.

O adesso o mai più, pensò.

«Ecco, vede. Io… non ho mai *toccato* una donna.»

Il medico lo scrutò con attenzione.

«Neanche una di quelle… *donnine?*»

«No, gnan al donleini. M'han sèmper fat sugesiòun…» rispose serio. «Però adèsa…»

«Adesso…?» Il Minelli si stava divertendo un mondo.

«Be', ultimamente ho fatto amicizia con una signora molto gentile. Ogni tanto la vado a trovare… io le racconto un po' di me e a lei piace ascoltarmi. C'è sintonia. Secondo lei è troppo tardi?»

Il medico schioccò le dita:

«Tardi? È una notizia clamorosa! No, non è mai troppo tardi per certe cose. Si butti, Ettore! Cosa aspetta?».

«Ma non so… ormai… che senso avrebbe?»

«Niente ormai! La smetta di piangersi addosso e faccia una buona volta quello che si sente di fare!»

Il medico spinse la sedia girevole indietro per farsi largo, si alzò, andò alla libreria e tirò fuori un manuale di anatomia. Spulciò frettolosamente e lo aprì a una certa pagina. Lo sollevò e lo girò in modo che Ettore potesse vedere le illustrazioni.

«Ecco qui. Questo è tutto quello che deve sapere. Se la sente?»

Ettore davanti al libro aperto quasi svenne.

«Se ha domande da fare, non si faccia scrupoli, rimarranno tra noi…»

Ma quando il medico chiuse il libro, si ritrovò solo davanti alla porta aperta dell'ambulatorio. Di sotto, poté distinguere i passi di Ettore che scendevano veloci le scale.

Quella sera, subito dopo cena, Ettore si presentò al ricovero da solo. Era una faccenda troppo privata per condividerla con don Giuseppe.

Il corridoio era vuoto e dal refettorio si udivano rumori di stoviglie e piatti. Ettore sgattaiolò verso la porta di Teresa e bussò senza fare troppa pressione. Si udì uno scalpiccio di piccoli passi che attraversò la stanza, poi qualche secondo di silenzio investigativo, e di nuovo un fruscio di sottane.

«Sono Ettore, il chierichetto di don Giuseppe.»

Udita la parolina magica, la porta si schiuse e l'occhio di Teresa fece capolino.

«Ah, sei tu?» lo fece entrare con il suo solito sorriso vacuo.

«Sì, sono io. Sono venuto a trovarti» le rispose in un moto d'incontenibile entusiasmo.

La donna continuò a sorridere, in uno stato di pacifica rilassatezza, con le guance rosee illuminate dalla luce del tramonto.

Ettore si passò una mano sudata sulla fronte, si slacciò il primo bottone della camicia, improvvisamente accaldato, e cercò di perdere qualche minuto nei soliti convenevoli. Teresa aveva già mangiato. Semolino e macedonia. Si sentiva proprio bene. Era stata una giornata calda e aveva passeggiato a lungo nella pinetina. Ettore se l'immaginava, gli pareva di avere vissuto con lei quella giornata e ora erano pronti per coricarsi, come una coppia rodata.

«Teresa. Volevo chiederti una cosa.»

«Dimmi caro.»

Ettore prese tempo, consapevole che quello era senza dubbio il momento più ardito di tutta la sua vita. Esitò come un bambino sul trampolino prima di tuffarsi nell'acqua alta.

«Ecco, sai, ci conosciamo da poco, ma ho capito che io e te abbiamo molte cose in comune.»

«Ah sì?» s'intenerì lei.

«Sì. Ad esempio, anche io non ho mai avuto una donna. Ora sono vecchio e tra poco morirò» rimase con lo sguardo basso a lisciarsi i pantaloni.

«Allora mi chiedevo… perché non facciamo all'amore io e te? Naturalmente se anche tu sei d'accordo…»

Teresa non mutò espressione. Sorrideva guardando il cielo fuori dalla finestra: era ancora chiaro, eppure si poteva intravedere un leggero spruzzo di stelle. Proprio mentre Ettore iniziava a chiedersi se avesse sentito la sua domanda, lei rispose: «Ma sì, perché no?».

Ettore sentì il sangue ribollirgli in tutto il corpo e perse la cognizione spazio-temporale in una ricaduta paranoica, questa volta, però, dall'euforia di essere vivo.

«Aspetta un attimo, però. Prima devo farmi bella» aggiunse Teresa e si avvicinò al comò dove prese il cofanetto turchese della cipria. Si specchiò e distribuì la cipria sulla pelle, senza fretta. Si rimirò come se fosse sola.

«Vado bene così?»

«Benissimo, Teresa.»

«Ecco, allora sono pronta. Vieni, siediti sul letto qui con me.»

Ettore andò verso di lei, sentì le sponde del letto sfiorargli le ginocchia. Si girò, piegò le gambe, adagio. Chiuse le palpebre e si lasciò andare all'indietro. Sapeva che non ci sarebbe stato più ritorno. Nulla sarebbe stato più come prima. La paura lo paralizzava, ma il desiderio di buttarsi lo comandava e s'impadroniva di ogni cellula del suo corpo. Sprofondò sul grande materasso ricoperto di morbide lenzuola rosa e si sentì avvolto dalle nuvole del Paradiso. Ecco com'era il Paradiso! In un attimo l'aveva trovato! Finalmente sapeva cos'era: infinite lenzuola di un letto di donna.

Sentì la consistenza soffice della stoffa intorno a lui e proseguì fino a trovare quella più calda della camicia che avvolgeva Teresa. Stavano uno accanto all'altra, seduti come due viaggiatori su un treno rivolti nella stessa direzione. Fuori tramontava e la luce della sera illuminava il letto con un fascio obliquo.

L'avambraccio di Ettore era a pochi millimetri da quello di lei eppure ne poteva percepire chiaramente il calore.

Era accaduto un processo fisico inspiegabile. La vicinanza dei loro corpi aveva modificato ogni cosa intorno a loro. Non esistevano più le ore, i minuti, né i secondi. Non esisteva lo spazio al di fuori di quel letto cosmico, fluttuante nel nulla, meteorite in volo nell'universo. Ettore sentì il cuore accelerare il battito in modo incontrollabile, mentre le sue dita conquistavano, centimetro dopo centimetro, la camicia a fiori e le gambe soffici di Teresa, unite, che formavano due dune. Al loro interno, c'era il tesoro da scoprire: le mani giunte di Teresa. Come sarebbero state al tatto? Calde o fredde? Ossute e solcate da vene, oppure morbide e piene come le sue guance? Per saperlo bastava non smettere di avanzare, millimetro dopo millimetro. Seduti su quella navicella soffice, continuavano a viaggiare nel cielo che imbruniva, le stelle diventavano sempre più vicine e immense, corpi celesti porosi che ruotavano tra loro, silenziosi, così vicini che si potevano sfiorare, allungando la mano.

20

Il processo

In un lasso di tempo difficile da quantificare, qualcuno bussò alla porta, e una composizione gigante di tulipani, fresie e giacinti entrò nella camera. Dietro il bouquet, c'era un signore baffuto, di statura limitata, ma ampia circonferenza. Lo seguiva di un passo una donna da tratti e rotondità simili, ma priva di baffi, più chiara di capelli e con grandi perle alle orecchie. Videro Teresa che dormiva rivolta verso di loro, Ettore l'abbracciava da dietro ed entrambi erano ancora immersi in un sonno profondo, evidentemente molto piacevole, a giudicare dai volti distesi.

«Teresa!» sbraitò l'uomo sconvolto.

«Mamma!» urlò la donna al suo fianco.

A quelle urla Ettore si svegliò, e, trovandosi gli sconosciuti davanti, scosse Teresa per svegliarla.

«Ah, sei tu?» chiese lei, nel vedere il baffuto.

«Sì, sono io, Teresa! Olindo, tuo marito! E lei è Eleonora, tua figlia, Cristo santo! Cos'hai combinato?»

Teresa era a bocca aperta. Disorientata, muoveva la testa in ogni direzione nella speranza di raccapezzarsi.

Olindo avanzò di un passo al centro della stanza, ma all'ultimo indugiò sul da farsi. La figlia gli stava dietro, attaccata alla manica della giacca.

«E tu chi diavolo sei? Ti sei approfittato di lei, vecchio sporcaccione!»

Ettore, confuso e spaurito, se ne stava rannicchiato dietro la schiena di Teresa, protetto dalle lenzuola non più cosmiche e incapace di qualsiasi reazione.

A quel trambusto il personale si raccolse sulla porta, venne chiamato il direttore e altri ospiti dalle stanze limitrofe vollero presenziare, con flebo, cateteri e tutto.

«Voglio la polizia!» contestò Olindo. «Voglio sapere chi è questo maniaco, e voglio che venga fuori chi non ha fatto il suo dovere qua dentro!»

«Voglio don Giuseppe!» gli fece eco Ettore.

Sandra corse a telefonare al parroco che aveva appena terminato la messa del mattino. In quattro e quattr'otto era lì. Si precipitò nella stanza con l'atleticità di un ragazzino e, crocefisso alla mano, si fece spazio nella cameretta.

«Tutti indietro!» ordinò. «Il mio chierichetto non si tocca. Via! Lei, con quello sguardo torvo, si allontani subito di lì» disse a un Olindo ancora più basito.

«Niente polizia» aggiunse poi, sicuro di sé, «faremo il prozesso tra di noi, qui, a porte chiuse.»

E così fu. Si ritirarono tutti in mensa e si sedettero al tavolo, Ettore e don Giuseppe da un lato, il resto del mondo dall'altro. Il direttore Cimino stava in piedi, a capotavola, le mani dietro la schiena, il passo nervoso: non voleva scandali, si capiva lontano un miglio, non a così pochi giorni dall'inaugurazione.

«Allora, forza, non perdiamo tempo» disse Olindo, irato, «chi è quest'uomo e cosa ci faceva qua dentro?»

«Chi sa parli!» intimò il direttore.

Sandra alzò la mano e chiese la parola: «Questo signore è uno dei frequentatori del bar. Qualche settimana fa l'ho trovato davanti alla porta di Teresa, insisteva per farsi aprire, ma Teresa non voleva».

I presenti erano zitti e attenti.

«E secondo lei, Sandra, perché Teresa non voleva aprire?» la interrogò Cimino.

«Perché non lo conosceva.»

Un vocio di bisbigli e commenti si sollevò tra gli infermieri. Ettore si sentì colpito da sguardi pieni di costernazione e pregiudizio. Stava per dire qualcosa, ma don Giuseppe gli fece cenno di stare zitto e intervenne al suo posto.

«Balle!» alzò la voce. «Ho accompagnato io stesso il mio chierichetto qui. È stato lui a parlarmi per primo dell'incontro con Teresa, avvenuto la sera stessa dell'inaugurazione.» Guardò negli occhi i presenti, uno a uno, ben avvezzo a platee più consistenti. «Puoi dirzi Ettore in quale zircostanza hai fatto la conoscenza di Teresa?»

«Al bar. Si è presentata da sola, cercava la sua gatta. Noi le abbiamo detto che non l'avevamo vista, ma lei non aveva voglia di tornare a casa e allora ci siamo messi a giocare a morra» raccontò Ettore.

«Al bar?» Olindo sgranò gli occhi e fissò incredulo il direttore Cimino e le inservienti. «Mia moglie da sola al bar? Nelle sue condizioni?»

«Proprio così» sottolineò il religioso. «È curioso, in effetti, che mentre qui si consumava l'inaugurazione, una vostra ospite sia riuscita a raggiungere un piccolo bar a un chilometro di distanza. Non trovate anche voi?» lanciò la patata bollente.

«Che cosa vuole insinuare? Ci sta dando degli irresponsabili? Sta forse dicendo che la nostra struttura non è sicura?» Cimino si chinò e distese le braccia sul tavolo con le mani chiuse a pugno.

«Me lo dica lei, direttore: sapevate o non sapevate che Teresa si era allontanata dal ricovero?»

Il direttore farfugliò qualcosa, ma l'autista del pulmino lo tolse dall'impaccio e confermò. «Io mi sono accorto che Teresa mancava all'appello. Per non rovinare la festa e creare allarmi inutili, ho chiamato Virginia e siamo andati a cercarla. Più tardi l'abbiamo trovata nel suo letto come al solito, così abbiamo pensato che forse ci eravamo sbagliati.»

Il direttore lo incenerì con lo sguardo.

«Chi ce l'ha portata allora a casa?» domandò Olindo sempre più sconvolto.

«Il proprietario del bar» rispose don Giuseppe. «È per questo che il mio assistente ha voluto sinzerarsi in prima persona della salute di Teresa ed è venuto fin qui a trovarla. Gesù non dize forse di assistere i malati e i bisognosi?»

«Sì» ammise Olindo, «ma non dice di infilarsi nel letto di un'anziana demente! Il suo assistente ha cercato di raggirarla!»

Colta dal timore di perdere l'impiego da poco ottenuto, Sandra sentì il dovere di difendersi: «Io avevo avvisato subito il signore dello stato confusionario della paziente, per cui lui era al corrente della situazione».

«Ma non fatemi ridere!» obiettò don Giuseppe, «Si vede che non lo conoscete. È più ingenuo di un vitello!»

Le pupille dei presenti reagirono impercettibilmente, ma già vedevano Ettore sotto una nuova luce. Lui, dal canto suo, interpretò quel commento col seme del sospetto e rifilò un'occhiata interrogativa al don. Questi lo ignorò e proseguì. «Non spetta a voi giudicare. E se proprio vogliamo andare fino in fondo… a che ora sei arrivato Ettore ieri sera?»

«Verso le diciotto.»

«E sei rimasto tutto il tempo in camera con Teresa?»

«Sì.»

Don Giuseppe guardò i suoi oppositori.

«Dunque Teresa che, a detta vostra, vive in uno stato confusionale, è stata lasciata da tutti voi in balìa di se stessa da ieri sera alle dizotto fino a questa mattina…»

Teresa nel frattempo contemplava la scena serenamente.

Il direttore scrutò i suoi dipendenti che si facevano sempre più piccoli nelle loro sedie. «Non è possibile…» balbettò, «qualcuno doveva pur essere di turno ieri notte! Voglio subito il calendario dei turni!»

Un'altra giovane infermiera, con frangetta, lentiggini e piercing, arrossì e si morse il labbro.

«Debora, cos'è quella faccia? Toccava a te, per caso?»

La ragazza annuì col capo, imbarazzata. Venne fuori che la sera precedente in televisione c'era la finale di un concorso di balletto in cui si esibiva un ballerino dai glutei marmorei e i riccioli d'ebano. Così Debora durante la pubblicità era passata di fretta e aveva appoggiato l'orecchio contro le porte, tra cui anche la trentotto. Tutto le era parso nella norma, la presenza estranea le era sfuggita e il patatrac non era stato evitato.

«Questo posto è un manicomio, altro che ospizio!» si alzò a quel punto Eleonora.

«Sì, farò querela! Vi denuncio tutti, tu per primo!» Olindo additò Ettore. Ma a quel punto don Giuseppe afferrò il dito dell'uomo e lo squassò.

«Silenzio! Ne ho anche per voi due!» esclamò. «È un po' che bazzico da queste parti e non vi ho mai incrociati, neanche una volta. Voi siete i primi a reclamare che Teresa ha problemi di memoria e allora non venite a piangere lacrime di coccodrillo se si dimentica di voi!»

I due si unirono in un'espressione scandalizzata. Ormai non si sapeva più chi aveva ragione e chi aveva torto, chi aveva iniziato che cosa e perché.

«Nessuno qui dentro è senza colpa. Propongo di farsi tutti un esame di coscienza e riporre le armi» terminò don Giuseppe.

Reazioni dai presenti a tal proposito non ce ne furono, ma un ospite della casa, passando di lì in pigiama, s'infastidì di quel silenzio e iniziò a fare trambusto battendo due pentole di metallo l'una contro l'altra.

A mezzogiorno, quando la fame iniziava a farsi sentire, si tirarono le somme: Olindo ed Eleonora richiedevano l'immediato trasferimento di Teresa in un'altra struttura e una somma consistente per danni morali, da consegnare in contanti seduta stante. Per quanto riguardava Ettore, vista l'età e l'ingenuità delle sue azioni, entrambe le parti avrebbero chiuso un occhio in cambio di due condizioni: che lasciasse in pace Teresa una volta per tutte, e che non mettesse mai più piede alla Villa dei Cipressi. Una sentenza che di certo avrebbe reso orgoglioso Basilio.

Quando più avanti Ettore si ripresentò alla Rambla, fu accolto, con sua enorme sorpresa, come un eroe nazionale.

«Mah... non ce l'avete con me?»

«Avercela con te? E perché dovremmo?»

«Ho infranto le regole...»

«Al contrario, siamo orgogliosi!» Cesare gli dette una pacca sulle spalle.

«Il fine giustifica i mezzi» gli spiegò Riccardo.

Ettore era confuso.

«Quello che conta è la lotta, amico mio, e tu, finalmente, hai lottato!» confermò Basilio.

Contento del fatto di non aver perso gli amici, sotto sotto Ettore si sentì punto dal dispiacere di dover dire addio per sempre a Teresa e alla prospettiva di un posto caldo e popoloso che avrebbe potuto chiamare "casa".

Uscendo dall'ospizio per l'ultima volta, don Giuseppe lo fissò dritto negli occhi con un'espressione eloquente che diceva: *con questa siamo pari.*

Scesero i tornanti in macchina senza dire una parola, e il prete, prima di lasciarlo davanti alla porta di casa lo ammonì: «Domenica ti voglio vedere a messa in prima fila, intesi?».

Quella sera Ettore si coricò, spense la luce senza troppi ripensamenti e, spossato dai numerosi avvenimenti delle ultime ore, dormì come un angioletto.

21

Un tesoro nel bosco

Nel momento in cui la station wagon di Nicola passò nel centro delle Casette di Sotto per raggiungere il luogo della sua villeggiatura, Cordelia, l'Arcigna Pettegola, era affacciata alla finestra e lo riconobbe dalla targa torinese. Si prodigò a informare Corrado e a indicargli l'indirizzo di Mafalda. Stando alle dicerie del paese, i dissapori tra padre e figlio diventavano sempre più aspri. Il motivo era sempre lo stesso: il figlio ormai integrato a Torino, non riuscendo a convincere Gino a seguirlo in città, puntava a sistemarlo in una struttura adeguata. Corrado schioccò le dita; mai occasione più ghiotta gli era capitata finora. Altrettanto entusiasta lo salutò Nicola quando lo vide varcare il cortile di casa di Mafalda per raccontargli la sua versione dei fatti. *Che gentile questo vigile a prendersi a cuore mio padre*, pensò.

«Lo sai che tuo padre da qualche parte tiene nascosta un'Ape che guida senza patente?» domandò subito dopo i convenevoli.

«Ma se vede solo ombre!» esclamò Nicola perplesso. Poi chinò il capo, amareggiato. «No, non me l'aveva mai detto.»

Suo padre non aveva mai accettato la partenza di Ludovica, e di riflesso, aveva sempre tenuto lontano dalla sua vita anche lui. Sapeva così poche cose di Gino. Eppure gli telefonava, gli scriveva cartoline, per le feste parlava regolarmente con Mafalda. Cosa poteva fare di più? Cosa poteva farci se la sua vita era altrove?

«Mi rincresce per la situazione in cui ti trovi» recitò Corrado.

«Il mio compito non è solo quello di fare multe, ma è anche quello di salvaguardare l'incolumità delle singole persone. Una responsabilità molto grossa. Il comportamento di Gino è dannoso per se stesso, ma anche per gli altri e io devo fare qualcosa. Riesci a metterti nei miei panni, vero?»

«Certo, certo…» mormorava Nicola, titubante.

«Forse tu mi potresti aiutare.»

«Io? In che modo?»

«Sei sicuro di non sapere dove sia quest'Ape?»

Nicola scosse la testa. «No, giuro che non me ne ha mai parlato, e sinceramente, conoscendolo, non so se a chiederglielo me lo direbbe.»

Corrado tentò di nascondere la delusione. Si sfregò le nocche con nervosismo. Quel Nicola era veramente un moscio, aveva meno palle di lui. Non sembrava avere le idee chiare su nulla, ne sapeva meno di tutti gli altri e pareva non essere in grado di prendere una posizione chiara, di imporsi sul proprio genitore. D'altra parte rimaneva l'unica persona disposta a collaborare e non era cosa da poco. Gli passò il suo biglietto da visita e mezz'ora più tardi era di nuovo nell'ufficio di suo zio, pallido in volto.

«Quell'idiota di suo figlio non ne sa niente!»

«A cosa ti riferisci?»

«Dimmi la verità, zio, tu quell'Ape, l'hai mai vista?»

«Io personalmente no, ma…»

«E se l'Ape non esistesse? Se fosse tutta un'invenzione, una diceria popolare?»

Il sindaco si grattò il dorso della mano.

«Calma, ragazzo mio, calma… sei sempre così frettoloso nelle tue conclusioni…»

«Io non l'ho mai vista, tu nemmeno, Nicola ne ignorava addirittura l'esistenza… Cosa devo pensare?» prese a fare avanti e indietro nella stanza. «E se fosse tutto uno scherzo, una presa in giro per farsi beffa di me? In fondo, è stata la banda di Cordelia a raccontarmi quella storia al mio arrivo... se fossero tutte fandonie per mettermi in ridicolo? Dio, non lo potrei sopportare!»

A quanti contadini, negozianti, pensionati, conoscenti ed estranei aveva chiesto di quel maledetto trabiccolo? E tutti sempre a scuotere la testa. Chissà quante risate alle sue spalle, quanta ignominia, quanta burla... il suo nome era rovinato, la sua persona infamata, la sua dignità calpestata... di nuovo! Voleva andare via, via, via, via da quella tana del diavolo!

Corse a casa, si strappò la divisa di dosso, si buttò sotto la doccia e poi, stremato, in mutande, si accasciò sul letto e fu colto da un sonno infestato da incubi.

Alle prime luci del mattino Corrado fu risvegliato dal telefono.

«Mi è venuto in mente un posto dove mio padre potrebbe tenerla nascosta» era la voce di Nicola.

Venti minuti dopo Bill abbaiava come un forsennato alla vista del vigile sull'uscio di casa.

«Taci, bestiaccia, svegli tutto il quartiere!» sussurrava il poliziotto. Odiava i cani, soprattutto quelli che non tacevano subito. Bill lo sentiva e digrignava i denti in risposta.

Nicola scese le scale e Bill cambiò suono. Uggiolò di contentezza fino a concludere con uno starnuto e una leccata di naso. Si era rappacificato col mondo. Con le orecchie alzate osservò i due mentre scendevano sul retro lungo un sentiero che portava nel bosco e li vide sparire tra gli alberi.

«Ecco, vedi, questo bosco è del padre di Mafalda, ma al di là di quella rete inizia il terreno di mio padre.»

Continuarono a scendere tra le sterpaglie, oltrepassarono la rete in un punto in cui era aperta da un taglio secco di cesoie, e arrivarono in una conca di terreno orlata da alberi altissimi e fitti. All'interno della conca c'erano solo macchie di rovi e arbusti sparsi. Ogni tanto s'incontravano pezzi di corteccia in decomposizione distesi su un letto di fogliame secco.

«Questo è il posto in cui mio padre tagliava la legna» spiegò. «E là teneva gli attrezzi» disse indicando una casetta di pochi metri quadrati perfettamente mimetizzata tra le frasche.

Si avvicinarono.

«Lo vedi quel sentiero?» gli indicò nuovamente Nicola. «Quello porta direttamente dalla capanna alla casa di mio padre in meno di mezzo chilometro.»

Corrado rimaneva muto, eccitato, frastornato da quello che gli stava accadendo. Non si era mai addentrato nella profondità dei boschi fino a quel momento, non sapeva che incredibili nascondigli potevano offrire.

«Credo che sia là dentro» sentenziò Nicola. «Andiamo a vedere.»

Fecero più rapidamente gli ultimi metri, con l'eccitazione dei bambini non avvezzi alla campagna che si ritrovano d'estate nei dedali dei pini. Nicola aveva giocato a nascondino proprio lì con Mafalda e con gli altri figli dei vicini con i quali aveva perso i contatti.

Giunsero alla capanna, ne sfiorarono le assi rugose e secche, fecero il giro e raggiunsero l'unica finestrella di cui era provvista. Insieme allungarono le teste, unirono le mani a coppa intorno agli occhi, non videro nulla. Si ritrassero trascinando con loro, attaccati ai mignoli, rimasugli appiccicosi di ragnatele. Se ne liberarono con espressioni di disgusto, strofinando i palmi contro qualsiasi cosa: i pantaloni, le pareti della baracca, i tronchi. Spolverarono la superficie del vetro con foglie raccolte per terra e provarono di nuovo.

E finalmente eccola! Cimelio museale, orgoglio dell'antiquariato, dea della ruggine. Era lei, in tutta la sua maestosità. La famigerata Ape. Corrado si sentì risorgere: l'immagine che aveva di se stesso si era di nuovo capovolta. Non più Corrado lo sfigato, Corrado la nullità, ma Corrado il giustiziere, il tutore della legge e della ragione. Non era visionario, bensì realista, uno che ci vedeva bene e meritava deferenza, riconoscimento.

Nicola gli diede una pacca sulla spalla, contento di aver apportato il suo contributo.

«E adesso cosa facciamo?»

«Prendiamo il sentiero e andiamo da tuo padre.»

Qualche centinaio di metri più su intravidero la casa di Gino. Si appostarono dietro una cunetta e pensarono al da farsi. Era ancora l'alba. Strisciarono fino ai resti del pollaio dismesso e Nicola inciampò in un vecchio contenitore di sementi.

«Fai piano!» lo rimproverò Corrado.

I due rimasero immobili a lungo, accovacciati in attesa che il vecchio si preparasse, si vestisse e mettesse a posto la casa. Poco più tardi sentirono il fragore inconfondibile di piatti che vanno in frantumi ed ebbero la conferma che quel vecchio andava rinchiuso in una struttura sanitaria al più presto. Alle sei e trentacinque fu con estrema goduria che Corrado vide la porta aprirsi pesante e sinistra. Uscirono tre galline spennacchiate e infine Gino che si diresse proprio lungo il sentiero che aveva supposto Nicola. La soluzione era stata così facile! Aveva ragione lo zio Goffredo: gli era bastato avere pazienza.

Di tronco in tronco, i due lo seguirono a distanza, lo videro aprire la doppia porta di legno della capanna, e, dopo cinque minuti buoni, si sentì l'accensione di un motore. Un nuvolone di gas avvolse la baracca e finalmente l'Ape uscì, prese il sentiero al contrario, a volte uscendo dai bordi. Il veicolo viaggiava talmente lento che le galline non avrebbero faticato a stargli dietro e Corrado si stupì di non essere mai riuscito prima a coglierlo in flagrante. Ma di questo non fece parola con Nicola.

«Hai visto? Cosa ti dicevo?» si gongolò il vigile.

«Hai ragione» ammise Nicola, «mio padre è proprio uno spericolato.»

Era quasi fatta: la prova che Gino girasse per strada con la motoretta era stata trovata. Ora dovevano solo raggiungere il bar e scovare il secondo nascondiglio; a quel punto, nessuno avrebbe più potuto negare l'evidenza. Prima però, dovevano chiamare i rinforzi.

Arrivati al bar, Corrado diede a Nicola il compito di fare le telefonate. Da dentro provenivano voci esaltate, risate, tintinnii di bicchieri, insomma un'aria di festa. Nell'aria aleggiava ancora un puzzo caldo di marmitta, di gomma bruciata, e un leggero retrogusto di merda di gallina. Corrado ne trovò tracce ancora fresche per terra, tra i solchi delle ruote lasciati sul ghiaino che portavano sul retro. Le seguì e sbatté quasi il naso contro il garage chiuso di Elvis. Sul suo viso non riusciva a reprimere un ghigno vittorioso. Si appese con forza alla maniglia del portone del garage e lo spalancò trovando finalmente la prova inconfutabile che cercava. L'Ape luccicava ai suoi occhi come un gioiello d'inestimabile valore.

22

La resa dei conti

Quando Gino si svegliò, all'alba di quella mattina d'agosto, sentì che c'era qualcosa di strano nell'aria. Non poté decifrare con certezza cosa, ma era pervaso da una vaga sensazione d'inquietudine. Era certo che qualcosa d'imminente stesse per accadere e, valutata la sua situazione, dedusse che non poteva trattarsi che di una sola cosa: la propria morte. Sarà che aveva trovato le tre galline che lo vegliavano attorno al letto, cosa che non avevano mai fatto prima.

In genere lo aspettavano nella sala da pranzo in ossequiosa attesa, e mai si erano permesse prima di allora di oltrepassare il confine intimo della camera da letto. Era chiaro che avevano presagito l'evento funesto, e che, in questo caso d'emergenza, avevano rotto le regole della buona educazione. Evidentemente avevano sentito, forse sognato, la scomparsa incombente del loro padrone, ed erano venute a dargli l'addio.

«Così, oggi è il grande giorno» disse loro a voce alta, senza troppa commiserazione.

Non provava paura, anzi, semmai, un certo senso di liberazione. Era da un po' che si sentiva stanco di stare al mondo. Le giornate erano tremendamente uguali, non gli davano nessuna soddisfazione. L'estate torrida era il periodo peggiore dell'anno: a ogni respiro l'aria non era mai abbastanza, l'afa era infernale. I piedi gli bruciavano nelle scarpe come se fossero su un braciere. Anche le ossa non gli davano tregua: muoversi significava spesso essere colpito da stilettate paralizzanti in parti del corpo sempre diverse, quasi il dolore volesse divertirsi a sorprenderlo. La vita aveva semplicemente perso il gusto, il sapore, i colori. Si lasciava scivolare i giorni addosso come fardelli di cui liberarsi.

No, non gli sarebbe dispiaciuto affatto farla finita, era pronto. Sentì solo un tenue moto di nostalgia nel dare da mangiare alle sue tre compagne pennute, e al pensiero degli amici della Rambla che se la raccontavano in sua assenza.

Del gruppo del bar era il più vecchio di tutti. Aveva almeno una quindicina di anni in più degli altri, di Elvis addirittura quasi trenta. Per la maggior parte della loro vita, lui e i compagni erano appartenuti a due generazioni diverse. Da bambino molti di loro non erano ancora nati, e in gioventù erano stati semplicemente compaesani. Ma a un certo punto, come allo scoccare di un rintocco preciso, la differenza di età si era inspiegabilmente annullata: erano diventati tutti uguali sotto l'ala della vecchiaia. Questo elemento comune aveva fatto sì che la conoscenza maturasse in amicizia, e che la frequentazione, prima occasionale, diventasse quotidiana.

Si lavò con l'acqua fredda del pozzo con più cura del solito, indossò l'abito meno sdrucito che aveva e prima di uscire decise che sarebbe stata una buona idea lavare qualche piatto e liberare il lavello dalla montagna di stoviglie, giusto per andarsene con l'animo in pace. Prese un piatto tra le mani. Si rese conto che le croste erano così dure e sedimentate che era impossibile farlo tornare pulito. Allora pensò che non valeva la pena sprecare il suo ultimo giorno facendo le pulizie domestiche; prese la pila di piatti e li buttò tutti nella spazzatura uno per uno, con gran baccano e schiamazzo delle galline allarmate. Le lasciò uscire nel cortile e non le salutò di proposito, per non spaventarle ancora di più.

Guidò lentamente e senza motivazione verso il bar, indifferente alle precauzioni che per mesi gli avevano impedito di godersi i tragitti in Ape da casa sua fino al garage di Elvis. Al suo arrivo nessuno uscì in cortile. Dalla finestra provenivano cori stonati e una grande aria di festa. Dentro c'erano già tutti: Basilio, Riccardo, Cesare ed Ettore, tutti in piedi ma poco stabili, dondolavano di qua e di là intonando canzoni degli alpini e colpendosi l'un l'altro con zaffate alcoliche. Elvis dirigeva dalla sua solita postazione dietro al bancone e se la rideva di gusto osservando il marasma in tutta sobrietà.

«Cosa succede qua dentro?» domandò Gino esterrefatto.

Riccardo allora uscì dal coro e annunciò fuori di sé dalla contentezza: «Sono guarito!».

A riprova di ciò, sollevò la camicia e la sottostante canotta che rivelò un torace pallido, flaccido e ricucito da cui finalmente non penzolava più la tremenda sacchetta maleodorante.

Gino esclamò di solidarietà e si unì al gruppo. Mentre cantava con gli amici, sospirò. Forse si era sbagliato. Forse quello che aveva interpretato come un giorno funesto, era in realtà un nuovo inizio. Sicuramente lo era per Riccardo.

Il rimbombo del portone arrivò come una dichiarazione di guerra, proprio quando la compagnia aveva riposto i bicchieri e iniziato un nuovo torneo di carte. Esplose nel retro del bar con una tale veemenza, che tutti si ammutolirono all'istante e Gino sentì nelle orecchie risuonare le campane della morte.

«Gino! Vieni fuori, è finita!»

«Gino, mi sa che qualcuno ti cerca» commentò Elvis, lasciando scivolare lo strofinaccio nel lavandino.

«Ho sentito, non sono mica sordo. Fammi finire la partita.»

Elvis si girò verso l'entrata e urlò di rimando. «Lasciagli finire la partita!»

«Digli che lo aspettiamo fuori!» trombettò di nuovo Corrado.

«Ha detto che...»

«Ho sentito cosa ha detto, per la miseria!»

Gino si leccò il pollice e lanciò due carte sul tavolo come un discobolo. Prese il mazzo a centrotavola e con estrema lentezza distribuì l'ultimo giro ai compagni. Fu la partita più miserevole della storia. Si fece il possibile per farlo vincere, invece vinse Ettore, con suo stesso rammarico. A *manche* conclusa, Gino si alzò lentamente, come aveva visto fare in decine di film western quando ancora ci vedeva bene, attraversò la sala senza guardare in faccia i suoi amici, tenendo lo sguardo fisso sulle punte dei suoi mocassini smangiucchiati dalle intemperie e da quella screanzata della Genoveffa. Tirò la tenda e uscì, risucchiato dalla luce. Ciò che vide gli fece capire che il presagio mattiniero non era stato un'illusione e che l'evento infausto era in procinto di verificarsi.

Davanti a lui, Corrado lo aspettava a gambe aperte, braccia incrociate e faccia da duello, spalleggiato da Nicola e da quella vipera della Carmen venuti apposta da Torino per incastrarlo. Dietro di loro, il pulmino della Villa dei Cipressi trionfava già con le fauci spalancate, l'autista, Sandra e la collega Virginia erano posizionati ai lati delle portiere e una sedia a rotelle cigolante lo puntava come un carro armato.

Gino s'immobilizzò.

«Torno subito» disse solennemente con l'indice alzato, senza perdere le staffe. Fece dietro-front e rientrò nel bar a passo di lumaca. A tutti sembrò tremendamente ingobbito e ancora di più invecchiato.

«Elvis» ordinò, «fammi un ultimo sambuca.»

La pronuncia di quell'aggettivo definitivo convinse subito gli amici dell'irrimediabilità dell'evento che stava per consumarsi. Si alzarono tutti in piedi mentre Elvis si sbrigò a esaudire l'estremo desiderio.

«Ettore, voglio che alle mie galline ci pensi tu.» Gino intanto si era rivolto al vecchio amico. Davanti a un testamento di così alta responsabilità, Ettore sentì le gambe fargli giacomo giacomo, roteò la lingua attorno al dente, senza replicare, limitandosi a un cenno d'assenso.

Gino bevve il suo sambuca all'alpina, fece il saluto militare a Basilio e si lasciò di nuovo inghiottire dalla tenda. I cinque si precipitarono subito in cortile a vedere cosa mai fosse successo.

«È un'imboscata! Traditori!» urlò Basilio a pugni chiusi. «Forza, parlate! Chi è stato il giuda?»

Attirati dal chiasso, gli abitanti del paese si stavano nel frattempo radunando intorno a loro. Ennio e sua sorella Nanda uscirono dall'edicola, il farmacista mandò la figlia a curiosare, e Guido il muratore seguì tutto dal tetto dell'ufficio postale che stava riparando. Chi non ebbe il coraggio di immischiarsi, sorvegliò gli eventi da dietro le finestre.

«Calmati, Basilio. Nessuno di noi. È stato mio figlio Nicola» affermò Gino, senza lasciar trapelare emozioni.

Nicola esitò e si guardò un attimo intorno, messo in imbarazzo dai curiosi, grandi e piccoli, che stavano arrivando a frotte addirittura da Le Casette di Sotto a vedere la scena. Si lasciò distrarre per qualche istante quando distinse il volto arcigno di Cordelia che si sfregava ghiottamente le mani e parlottava con alcune megere avide quanto lei. Corrado gli diede una leggera spinta dietro la schiena per incoraggiarlo a parlare con il padre.

«Forza papà» lo incalzava ora, «lo sai anche tu che questa è la soluzione migliore.»

Gino rimase con le labbra serrate.

«Abbiamo visto le condizioni in cui vivi,» proseguì Nicola «non puoi andare avanti così, non sei più in grado di badare a te stesso. La cucina è un disastro, nel frigo c'è solo una crosta di pecorino.

I vestiti sono cenci puzzolenti e infeltriti. Mi hanno detto che non hai l'acqua calda, ti hanno staccato la televisione. Tra poco rimarrai anche senza luce e telefono. Il pavimento è una distesa di merda di gallina. Per quanto ancora vuoi vivere così?»

Gino si parò gli occhi dalla luce del sole e dalla raffica di parole che lo stava umiliando davanti agli amici e all'intero paese. Si raggomitolò su se stesso come una larva gigante. Si lasciò pugnalare dalle parole senza difendersi, mentre il sangue del suo sangue esibiva in pubblico il suo senso di responsabilità e di giudizio. Si chiese come aveva fatto a mettere al mondo un figlio tanto deficiente e gli venne il dubbio che forse era stata la Ludovica a vendicarsi da lassù delle sue mancanze.

«A noi il tuo formaggio piaceva» lo confortò Ettore.

«E non è vero che puzzi» aggiunse Riccardo, forte ora di un'autostima ritrovata.

Gino annuì col capo, arreso.

«Basta, basta!» alzò le braccia. «Avete vinto. Da solo non posso continuare.»

Gli amici del bar si scambiarono occhiate incredule.

«Ma Gino, non dirai…» attaccò Elvis.

«Ne sei sicuro?» balbettò Ettore.

«Sì, sono stanco. Sono sfinito!»

«No, no, io non ci credo! Siete dei farabutti! Siete dei manigoldi!» inveì Basilio agitando le braccia, viola di rabbia.

«È per il suo bene…» tentò di spiegare Nicola e nel farlo non si accorse della smorfia di trionfo che increspava le labbra di Corrado al suo fianco. Basilio gonfiò il petto pronto a caricare come un toro, ma Cesare e Riccardo lo tennero per i gomiti, consapevoli che più lui inveiva, più Corrado ne traeva godimento. Con mosse calcolate e teatrali, il poliziotto porse a Gino un foglio e una biro, indicandogli il punto in cui doveva apporre la sua firma.

Gino prese la penna e fece uno sghiribizzo a caso.

«Forza, sali sul pulmino» gli intimò.

«Subito» fece un'ultima carrellata sui compagni di vita che ora lo scrutavano disillusi, avviliti, pieni di sconcerto e angoscia. Si girò e si diresse solitario verso l'Ape.

«Quella la sequestro io» lo bloccò Corrado.

«Certo. Fammela almeno salutare un'ultima volta» gli rispose con voce inespressiva.

Corrado soffiò spazientito, ma Nicola gli fece cenno di lasciarlo fare.

Gino raggiunse il triciclo, lo accarezzò, si voltò lentamente senza perdere la calma, e mostrò le chiavi che gli ciondolavano dal dito medio della mano aperta.

«Nicola, Corrado, sapete cosa vi dico?»

Esclamò in modo che lo sentissero tutti.

«Vaffancül!»

In un nanosecondo s'infilò nell'abitacolo, abbassò i pirulini delle portiere e si chiuse dentro, conscio che l'accensione avrebbe creato qualche difficoltà. Intanto Corrado e Nicola gli erano già addosso e battevano le mani contro i finestrini incitandolo a uscire immediatamente. Invano: il motore rombò e Gino fece rullare le ruote nell'aria prima di partire con una fragorosa sgommata.

«Papà, cosa fai? Fermati!» urlò Nicola.

Il capannello di curiosi si aprì dallo spavento, gli amici della Rambla si abbracciarono, Ennio e Nanda si guardarono l'un l'altro con occhi sbarrati.

Tra le gambe degli adulti spuntarono Michela e i suoi amichetti. Si misero a saltare e a tifare per lui: «Vai, Gino, vai! Più veloce! Più veloce, Gino! Vai!».

Ormai il viaggio era cominciato: Gino si lanciò come un forsennato in mezzo alla strada e si diresse verso il curvone che portava a valle con il pubblico che gli correva dietro. Passò davanti al negozio di ortofrutta e il foglio con scritto TORNO SUBBITO si sollevò. Sulle strisce pedonali stava attraversando in quel momento Orvilla e lo specchietto retrovisore le sfiorò un gomito, ma colpì in pieno il trasportino per gatti dal quale schizzarono cinque confezioni di crocchette, tre pesciolini di plastica, due code di scoiattolo e svariate calze appallottolate che rotolarono giù per la statale. In direzione opposta accorreva in quel momento don Giuseppe che si strappava i capelli e intimava: «Gino, non farlo! È peccato mortale!».

A quelle urla il dottor Minelli si affacciò alla finestra del suo studio che dava sulla piazza e riconobbe tra la folla Ettore che si copriva il volto con le mani.

Gino ormai era inarrestabile, pigiò sul pedale fino allo stremo delle forze ed entrò in piena curva senza ripensamenti. Al momento di virare, diede un'ultima sgasata portentosa e tirò dritto verso il precipizio librandosi nel vuoto. Lo schianto risuonò tra le colline come una bomba.

Gli ultimi indecisi abbandonarono le loro finestre, Mafalda corse via in ciabatte lasciando Bill ululare alla catena. Per strada incrociò Franca che in preda all'angoscia gridava: «Riccardo!».

Dallo strapiombo fecero capolino decine di teste di ogni sesso ed età, i bambini in lacrime avvinghiati ai genitori. Il sindaco, Nicola, Carmen, il personale della casa di riposo e gli amici della Rambla si fermarono sul ciglio del baratro dal quale videro l'Apecar accartocciata e avvolta nel fumo. Nello sconvolgimento generale che aveva zittito tutti, dagli esseri umani ai passeri in volo, il solitario urlo di Basilio squarciò il cielo.

«Viva la Libertà!»

23

La promessa

Quando l'ambulanza passò sotto casa di Rebecca a sirene spiegate, lei per poco non la sentì. Era al piano di sopra, nella camera da letto, madida di sudore, intenta a sua volta a lanciare ululati di selvaggia lussuria sul corpo vigoroso di Goran il balcanico.

Rebecca e il fruttivendolo si erano attratti come due calamite e la passione aveva preso il sopravvento sopra ogni cosa.

Era successo tutto in un attimo, al comizio inaugurale, quando si erano trovati vicini senza la presenza del nonno, divisi soltanto dal tronco di un albero.

«Perché tu non parli mai?» le aveva chiesto lui, gettando i suoi occhi di forestiero misterioso in quelli ipnotici di lei.

Goran era dotato di quella temerarietà che nessun altro aveva mai avuto nei suoi confronti e a lei questo piacque assai.

«Non dico cose intelligenti» rispose modesta, ripetendo un'idea che le era stata inculcata dai grandi fin dalla scuola materna.

«E tu, perché sei di poche parole?» s'affrettò a chiedere in un soffio.

«Non so vostra lingua» ammise lui, mostrandosi in tutta la sua vulnerabilità.

Un varco si aprì nei loro petti. Accomunati da una lacuna che li escludeva entrambi dall'accettazione sociale, era bastato quel semplice scambio di battute per far capire loro che erano destinati l'uno all'altra.

Senza bisogno di ulteriori parole, Rebecca l'aveva guidato per il bosco dei caprioli e degli scoiattoli, si era distesa su un giaciglio di foglie, e l'aveva avviluppato in un bozzolo di capelli e fiori.

Fu Elvis a prendersi la premura di andare a suonare il campanello e poi a sbattere i pugni contro il portone di legno per catturare la loro attenzione.

Si precipitarono tutti insieme all'ospedale, e lì un dottor Minelli molto rincresciuto sentenziò: «Basilio non ha retto alla tensione emotiva e ha avuto un forte attacco di cuore».

Copiose lacrime iniziarono a rigare le guance rosee della nipote.

«Ora sta riposando, è sotto osservazione. Ha bisogno di tranquillità.»

Attesero tutto il giorno e tutta la notte, fino a quando, all'alba successiva, Basilio aprì gli occhi e iniziò a chiamare.

«Rebecca... Rebecca...».

La ragazza corse al suo capezzale e gli prese la mano fredda e greve.

«Sono qui, sono qui...»

«Tesoro mio, Rebecca cara... ti ricordi vero, dove sono custodite le mie memorie?»

«Certo nonno, non ti preoccupare, sono al sicuro.»

Basilio annuì col capo.

«Bene. Allora mi raccomando, conservale sempre, per tutta la vita. Dalle ai tuoi figli e ai figli dei loro figli, e l'anno prossimo alla commemorazione, vacci tu e parla a nome mio. Me lo prometti?»

«Sì, nonno, te lo prometto. Penso a tutto io, non ti sforzare.»

Intanto, calde lacrime di riconoscenza e infinita tristezza le sgorgavano dagli occhi.

«Brava, hai imparato tutto quello che avevo da insegnarti. Sono orgoglioso di te.» Fu allora che iniziò a singhiozzare a sua volta, inconsolabile. «Oh, perdonami Rebecca, perdonami... volevo soltanto proteggerti... sì, volevo proteggerti, così indifesa...»

Il nonno allucinava tra i singulti, accecato dai rimorsi, impossessato da un amore che reclamava l'urgenza di manifestarsi prima che fosse troppo tardi.

Rebecca lo sentì e si fece coraggio, si asciugò il viso coi polpastrelli e disse: «Nonno, non farti crucci per me. Io sarò felice. C'è una cosa che devi sapere». Si girò e con un cenno della mano chiamò Goran accanto a sé. Intrecciò le dita alle sue e gli lanciò un tenero sguardo d'incoraggiamento.

Goran diede un leggero colpo di tosse e, a voce troppo alta per l'agitazione, dichiarò ufficialmente: «Signor Basilio, io cordialmente sposare tua nipote Rebecca!».

A quel punto Basilio sgranò gli occhi, spalancò la bocca, inarcò le sopracciglia, inspirò a pieni polmoni, lo afferrò per il collo della camicia ed eruttò un suono tombale: «Tuuu!? Goran dagli occhi di ghiaccio! Vieni qua che t'...».

Rebecca e Goran interpretarono quella reazione come un affettuoso beneplacito, ma nessuno in paese seppe mai la vera intenzione di Basilio poiché subito dopo, impressionato da una dichiarazione di tale spessore, tutto il suo corpo s'irrigidì per colpa di una fitta fatale, la pupilla divenne vitrea, le labbra barbute rivendicarono un'ultima boccata e infine ricadde privo di vita sul cuscino.

24

L'addio

Davanti allo specchio Cesare si mise il dopobarba, si laccò i capelli e si cimentò nell'odioso nodo della cravatta. Non gli era mai venuto bene e in tutti quegli anni aveva sempre lasciato che fosse Irma ad annodarlo al posto suo. Quei tentativi maldestri lo esasperavano e fin nel cortile riecheggiavano le sue imprecazioni patetiche. Perché non aveva mai chiesto a sua moglie di insegnargli a farlo da solo? Non aveva fatto che lamentarsi di lei, eppure le aveva permesso in silenzio di servirlo e riverirlo. Tra un accidente e l'altro avvertì una presenza silenziosa sulla porta del bagno. Istintivamente si girò e trovò Irma appoggiata allo stipite con la valigia ai piedi. Lasciò cadere le braccia e la cravatta gli si aprì moscia sulla camicia. Non gli uscì alcuna parola di saluto, ma Irma vide lampeggiare una luce grata nei suoi occhi cerulei.

«Non mi chiedi come si sta all'ospizio?» disse rompendo il silenzio per prima. Le palpitava forte il cuore e le girava la testa come a un'innamorata dopo un litigio d'amore. Si stupì di sapersi ancora capace di provare sensazioni del genere.

Cesare non abboccò e rispose seccamente «Lo so che non sei stata all'ospizio. Anna mi ha telefonato appena sei arrivata da lei.»

Irma non proferì commento, ma piantò un mezzo broncio che tradì la sua delusione. Cesare si girò di nuovo verso lo specchio e riprese a trafficare con la cravatta.

«E tu non mi chiedi come ho fatto a sopravvivere ben due giorni senza di te?» contrattaccò rivolto alla propria immagine riflessa.

«Lo so già. Ti ho lasciato tutto pronto in freezer» gli rispose lei prontamente.

«Eh la Peppa, sul serio? Non c'ho guardato!» Cesare questa volta si girò di scatto e lasciò cadere ogni difesa.

«O Santo Cielo, ma allora cos'hai mangiato?»

«Pane secco» confessò lui titubante.

«Quello che tengo da parte per gli uccellini?»

Cesare annuì gravemente, ma si affrettò a dire: «Però ho preso tutte le medicine».

«Così, a stomaco vuoto? Ti verrà sicuramente la gastrite!» Si posò una mano sul petto, allarmata.

Cesare alzò le spalle, fiacco, e Irma si limitò a scuotere la testa con gli occhi lucidi. Era contenta di essere di nuovo a casa. Anna era sua figlia e l'amava sopra ogni cosa, ma aveva trascorso due giorni terribili a casa sua. Aveva dormito scomodissima nel lettino di Filippo, tra macchinine, palloni da calcio e videogiochi, e la pizza da asporto che l'avevano quasi obbligata a mangiare la sera prima alle nove e mezza le era rimasta sullo stomaco. Il marito di Anna era un brav'uomo, ma stava sempre incollato al computer anche quando tornava dal lavoro, oppure s'intratteneva a lungo in noiosissime conversazioni al cellulare. Si era sentita tremendamente fuori posto e aveva passato la notte a escogitare una scusa valida per tornare a casa senza calpestare il proprio orgoglio. Alla mattina quando aveva sentito Anna dirle «C'è Franca al telefono che ti cerca» le era venuto un coccolone perché si era raccomandata di chiamare solo per le urgenze. Gli attimi che impiegò per capire che la vittima non era Cesare le parvero infiniti. Frastornata dal dispiacere per Basilio, ma grata di avere ancora un marito, si era buttata sulla valigia per chiudere la cerniera ed era corsa da sola alla fermata ad aspettare la prima corriera per la montagna.

«Vuoi che ti aiuti?»

Irma si avvicinò al volto del marito e prese con delicatezza i due lembi della cravatta. Lui la lasciò fare con aria indifferente. Un giorno le avrebbe chiesto di insegnargli ad annodarla, ma oggi no, non se la sentiva. Mentre lei girava e rigirava la stoffa con le sue mani fatate, gli venne in mente una strana fantasia di lui da solo, nella casa vuota a contemplare una foto dell'Irma attraversata in un angolo da una striscia nera in segno di lutto. S'immaginò come poteva essere la sua vita senza di lei. Senza le sue braccia infarinate fino al gomito che si adoperavano in cucina, senza i vestiti profumati di sapone di Marsiglia che ripiegava accuratamente nel grande comò della camera da letto, senza la sua voce torturatrice che gli ricordava di prendere le pastiglie, che poi ritrovava amorevolmente apparecchiate sul tavolo intorno al bicchiere nel caso lui avesse disattivato l'apparecchio acustico per non sentirla. La rivedeva mentre gli lucidava le scarpe, anche se aveva la schiena a pezzi, e le rimetteva tutte belle in fila di fianco alla porta; mentre rammendava i suoi calzini bucati o gli accorciava i pantaloni che lui aveva preso di misura sbagliata al mercato perché non aveva voglia di salire sul furgone della bancarella a provarli.

Lasciarono l'abitazione insieme e durante il tragitto guidò lei.

Poco più tardi, osservandola mentre cercava un posteggio libero accanto alla chiesa, gli vennero i lucciconi agli occhi: pensò che l'Irma era stata la sua fortuna e il suo tormento, la sua colonna portante e la sua spina nel fianco. In certi momenti l'aveva addirittura odiata. Lo indisponeva il modo in cui lei si serviva del sederone per chiudere gli sportelli, spostare i mobili, farsi largo tra i banchi del mercato, e, semplicemente, imperare nella casa in cui lui non aveva mai potuto toccare niente e spostare niente senza il suo consenso. Aveva odiato le sue risate sguaiate e il tono altissimo della voce soprattutto quando parlava al telefono, causa o conseguenza della sua sordità. Si ricordò che una volta, avendola sorpresa addormentata nella vasca da bagno, aveva segretamente sperato che scivolasse nell'acqua e rimanesse affogata.

Eppure, al momento del bisogno sia fisico che morale, era stata sempre lei, e solo lei, la persona da cui lui era andato istintivamente a rifugiarsi. Se ripensava alla loro vita insieme, poteva perfino dire di essere stato felice. Avevano formato una famiglia solida, erano nati Tommaso e Anna, i quali a loro volta, gli avevano regalato tre splendidi nipotini che erano cresciuti in un batter di ciglia, facevano le medie e avevano sempre qualcosa di più irrinunciabile da fare che andare a trovare il nonno sordo e la nonna brontolona. Ma sì, che si divertissero finché erano ragazzi.

Cesare sorrise di una dolorosa tenerezza osservando le scolaresche in corteo che erano venute a dare l'estremo saluto all'ultimo partigiano dell'Appennino Reggiano, al vecchio un po' toccato, che ogni anno ripeteva loro la stessa solfa sulla pace e la libertà.

Così erano rimasti di nuovo in due, lui e l'Irma, come quando erano giovani, pieni di progetti e guardavano al futuro, con l'unica differenza che adesso sentivano tutto il peso degli anni addosso e vivevano ricordando il passato, in una casa troppo grande, allargata inutilmente per i figli con tanti sacrifici, e ora piena di cianfrusaglie, vecchi giochi e foto incorniciate.

I fiori sul feretro di Basilio vibravano ad ogni passo e al ritmo scandito del coro comunale che, insieme ai bambini e a don Giuseppe, intonava per lui "Signore delle cime".

Con una mano sulla bara, Rebecca, sostenuta da Goran, accompagnava passo passo l'adorato nonno nel suo percorso finale, il viso inondato di lacrime, gli zigomi e il naso rossi di afflizione. Non molto distante, Cesare individuò Elvis e Riccardo. La cerchia del bar si faceva sempre più stretta. Ettore non si era presentato per libera scelta: benché si fosse riavvicinato a don Giuseppe, non aveva voluto assistere all'ultima messa per Basilio. Il rischio di ricadere nella depressione ascoltando la predica sarebbe stato troppo alto e lui non poteva più concederselo. Si era preso un incarico preciso e non avrebbe permesso a niente e nessuno di ostacolarlo. Perché prendersi cura delle galline di Gino era una ragione, sì, per attestare la sua amicizia, ma anche per andare avanti, un compito che simboleggiava il proseguimento della vita. E lui, tra la morte e la vita, questa volta aveva scelto la vita.

Immerso nelle sue riflessioni, Cesare non poté evitare di chiedersi che cosa ne sarebbe stato di lui, se l'Irma se ne fosse andata. Se fosse stata lei la prossima a morire, che cosa avrebbe fatto? Sarebbe stato un povero inutile disperato, una nullità, un fantasma ambulante; mentre se a morire fosse stato lui, lei se la sarebbe certamente cavata: in qualche modo, avrebbe tirato avanti con la sua solita dignità.

Si domandò a chi sarebbe toccato per primo, e nel farlo si girò verso di lei. A Irma, a cui tanto non sfuggiva niente, non sfuggì nemmeno quello sguardo implorante, ma non disse nulla. Per una volta tanto tenne la bocca chiusa e gli strinse forte il braccio per sostenerlo nel dolore.

Cesare fu sopraffatto dalla commozione. Sì, l'aveva amata nel bene e nel male. E stabilì con certezza che in quel preciso momento l'amava più di ogni altra cosa al mondo, che non l'aveva mai amata così profondamente, così autenticamente come in quell'attimo. Nemmeno quando i loro corpi erano stati sodi e desiderabili e avevano iniziato a progettare il primo figlio. All'epoca la montagna svettava davanti a loro ed erano troppo presi a scalarla. Adesso invece erano giunti sulla cima e potevano sedersi, riposarsi, lasciarsi andare e guardare indietro al cammino percorso, alle fatiche sostenute. Ce l'avevano fatta! Erano arrivati al traguardo finale insieme.

Mentre la processione si accingeva a oltrepassare il cancello del cimitero, Cesare gioì di aver potuto godere tutta la vita dell'Irma e concluse che era stato molto meglio avere sopportato la sua voce persecutrice che fare una figura barbina come quella che aveva fatto Ettore.

25

Una nuova vita

«Avanti.»

In cuor suo il dottor Minelli sperava ancora di ritrovarsi davanti Ettore. Dopo l'esito poco felice dell'impresa amorosa alla casa di riposo, il vecchio non si era più palesato in ambulatorio per ovvie ragioni di imbarazzo. Dal canto suo, il medico si sentiva profondamente responsabile per aver contribuito a metterlo, pur in buona fede, in una situazione così raccapricciante. Inizialmente si era preparato addirittura un discorso di scuse per quando, a fine mattinata, Ettore sarebbe venuto da lui a lamentarsi, ma Ettore non si era più presentato e il dottor Minelli si era chiesto spesso come avrebbe passato le notti ora che anche l'ultima speranza di trovare un senso alla sua vita si era spenta, in un modo poco eroico, oltretutto.

Dopo i fatti tragici avvenuti alla Rambla, si chiese sinceramente se l'ex paziente avrebbe retto. Aveva sperato di poterlo confortare in un qualche modo, di poterlo convincere che una vecchiaia serena, libera dai rimorsi e dalla malinconia, era ancora possibile.

Con il trascorrere dei giorni, però, la sedia vuota nella saletta d'attesa aveva iniziato a non essere più qualcosa di anomalo, e il numero ventisette gli veniva consegnato ora da un ragazzino, ora da una donna di mezza età, ora da un uomo che si era fatto male sul lavoro. Volti nuovi ed espressioni sempre diverse erano diventate la normalità, e il giovane medico sapeva che la giostra delle esistenze girava incessante e lui doveva stare al passo.

Fu però con immenso stupore che quella mattina di tarda estate, a consegnargli il numero ventisette trovò la Marilena, rimasta sola nella saletta d'attesa, che lo fissava con un viso radioso.

Colto alla sprovvista da quella visita fuori programma, la fece entrare nel suo studio dove lei gli disse subito, senza preamboli, con la sua consueta schiettezza: «avremo un bambino!».

Travolto da emozioni indescrivibili, le prese il viso tra le mani e la baciò con trasporto. Poi la strinse a sé in un abbraccio vigoroso che si sciolse soltanto quando lei cominciò a protestare.

Allora lui, con una mossa autorevole, la sollevò di peso e la riversò sul lettino come un sacco di patate. Le divaricò le gambe, alzò la gonna, infilò la testa tra le cosce d'ambra e affondò il naso tra i riccioli di salsedine.

Poi si distese sul suo corpo, strofinò il viso ispido sui suoi seni finché lei si ribellò e disse: «mi graffi!», e allora lui scivolò più sotto, per trovare riposo sulla pancia ancora piatta.

D'un tratto, senza essere in grado di spiegare a se stesso il motivo, il dottor Minelli si svegliò dal torpore e sentì il piacevole dovere di fare una telefonata.

«Dobbiamo dare la bella notizia a Ettore!» scattò in piedi.

La Marilena gli lanciò un'occhiata interrogativa.

«Un mio vecchio amico» aggiunse lui. Aprì il cassetto, prese l'elenco del telefono e digitò il numero di casa del suo paziente. Dall'altra parte del filo, il telefono squillava, squillava, squillava.

26

Di nuovo a casa

In un pomeriggio di settembre Ettore tornò a casa di Orvilla per risolvere una questione rimasta in sospeso.

«Fai una vita miserevole e anche i tuoi gatti sono miserevoli chiusi lì dentro. Mi fate una grande tristezza» le disse.

Negli ultimi mesi aveva visto la sua fede crollare, aveva conosciuto la paura di morire, l'ebbrezza dell'innamoramento, il dolore per la perdita dei suoi amici. Ora era pronto a restituire ciò che aveva appreso dagli altri. Orvilla si teneva stretto l'addome per impedire che i ripetuti e violenti colpi di tosse le facessero uscire un'ernia. Risucchiato abbastanza ossigeno per formulare una risposta, piagnucolò: «Oh, Ettore, non dirmi così, lo so bene…».

«Perché non li lasci liberi? Apri le finestre e fai entrare un po' di luce e di aria fresca o morirai asfissiata.»

«C'è la statale qua davanti…» tentò di dissuaderlo.

Ettore le indicò le gabbiette accatastate in cortile. «Li portiamo nel bosco e li liberiamo insieme. In due sarà meno difficile» le rispose.

Orvilla oppose una debole resistenza emettendo dei borbottii indistinti, poi una scarica di colpi di tosse la atterrò una seconda volta.

Dovette arrendersi. Sapeva dentro di sé che così come i gatti erano suoi prigionieri, lei era diventata prigioniera dei suoi gatti.

Si stavano soffocando a vicenda. Se non voleva finire incenerita in quella fornace che chiamava casa, doveva cambiare registro.

«Se proprio devo separarmi da loro, tanto vale farlo subito.»

Raccolsero le gabbiette e rastrellarono a fatica tutti i gatti. Per trafficare di meno, ne stiparono il più possibile in ogni gabbia e, bottini in mano, scalarono con calma il sentiero arido del monte.

Al quarto giro, allinearono le gabbie in una radura ombrosa, pronti per l'apertura degli sportelli. Orvilla lanciò un'occhiata supplicante a Ettore, ma lui annuì col capo come a ricordarle di essere forte. Lei inspirò un'ultima boccata dalla bomboletta e annuì di rimando.

Niente fu più appagante della gioia di vedere i suoi adorati balzare altissimi ed eleganti, scambiarsi zampate giocose e tuffarsi in rotolamenti di gruppo che sancivano la fine della prigionia. Orvilla sentì di avere fatto la cosa giusta e si asciugò gli occhi mentre ripercorreva i viaggi di andata e ritorno insieme a Ettore con le gabbiette vuote impilate una sull'altra.

«Ora devo andare» la salutò Ettore davanti al cancello. «Ho altre faccende importanti da sbrigare». Alzò il cappello e s'incamminò verso casa.

Nei mesi successivi sarebbe tornato a ridipingere le persiane, a svuotare le stanze degli oggetti inutili e imbiancare le pareti. Le finestre rimasero aperte e furono decorate con tende nuove. Non c'era minuto in cui Orvilla non provasse nostalgia dei suoi amati gatti, e la sua vita, sebbene più salubre, era senza dubbio più vuota. Finché un giorno ricevette una sorpresa che la lasciò a bocca aperta: sul davanzale della finestra si era fermato un gatto tigrato, maestoso e altero, che la osservava con distacco e rispetto. Sfilò sul davanzale, circospetto, si lasciò accarezzare e nutrire, gironzolò per il giardino e scomparve. Cominciò ad andare e venire a suo piacimento. Con il tempo, si aggregarono altri gatti selvatici di loro iniziativa che rimanevano solo un'ora, un pomeriggio, o qualche settimana, o addirittura mesi interi per poi sparire nel nulla e tornare la primavera successiva. Ogni giorno era un'incognita e Orvilla si alzava al mattino eccitata di sapere chi sarebbe venuto a trovarla e per quanti animali avrebbe dovuto preparare le crocchette.

I pellicciotti in mezzo alla strada divennero incidenti rari: i gatti non la temevano più al punto da fuggire a rompicollo. Ne contò non più di sette in giardino, ma soltanto due decisero di stabilirsi lì e diventare domestici. I due gatti che alcuni anni dopo, si dice, furono trovati acciambellati sul corpo di Orvilla distesa esanime sul pavimento, le teste appoggiate al collo a farle da sciarpa, a proteggerle il viso.

27

Un duro risveglio

Una sagoma confusa, scura e circondata da un alone luminoso proveniente da una fonte indefinita alle sue spalle si avvicinò con cautela. Gino credette di vedere il faccione sfuocato dell'Ermenegildo, una sorta di San Pietro casereccio che gli dava il benvenuto in Paradiso. Ma dalle sue labbra usciva una voce calda e femminile che poco si confaceva alla barba e alla stazza sia dell'uno che dell'altro.

Gino strizzò gli occhi e quando li riaprì riconobbe la figura di Sandra, la giovane assistente dai grandi denti bianchi e cavallini che gli sorrideva sbattendo amorevolmente le ciglia.

«Ben ritrovato, Gino! Benvenuto alla Villa dei Cipressi. Cosa gradisce per cena, vellutata di cavolfiore o purè di patate?»

Il vecchio trasalì. Si dimenò d'impulso e si trovò incatenato a una flebo, mentre alla parete azzurrognola di fronte a lui erano appesi un crocefisso decorato d'ulivo e un televisore al plasma. Ancora confuso, si guardò intorno e fu attratto da un'altra vaga presenza alla sua destra. Là, dietro la finestra che dava sulla pineta, riconobbe a fatica il sorriso monodente di Ettore che, bandito dal ricovero, lo salutava tutto festoso nascosto tra i cespugli di biancospino. La Linda sotto un'ascella, la Cocca sotto a quell'altra e la Genoveffa… la Genoveffa non c'era, chissà, probabilmente non si era lasciata prendere. Ad ogni modo, la scena gli tolse definitivamente qualsiasi dubbio.

«Porca puttana!» ringhiò Gino, completamente tornato in sé. «Sono ancora vivo!»

Epilogo

Un anno dopo

«Forza ragazzi, tutti a tavola! È pronto!» Il dottor Minelli uscì dalla cucina a schiena dritta, fiero di sé. Indossava un grembiule bianco da cuoco che riproduceva una stampa del David di Donatello. Con i guanti da forno teneva ben salda una teglia colma di cannelloni ricotta e spinaci che aveva cucinato con molta cura. Dal piatto, un profumo di ragù misto a besciamella calda e Parmigiano Reggiano si diffondeva sulla tavola apparecchiata. Era un profumo appetitoso e accogliente, tutto nuovo per Ettore: un profumo di famiglia che si vuole bene.

Ai pranzi domenicali a casa del dottor Minelli, o meglio, di Alberto – come voleva essere chiamato adesso – non si era ancora del tutto abituato e l'emozione che provava ogni volta che si puliva le scarpe sullo zerbino e si toglieva il cappello prima di entrare non si era smorzata. Continuava a starsene seduto, tutto composto, nell'angolo del divano, con i gomiti lungo i fianchi, le gambe unite e lo sguardo rivolto in adorazione verso la Marilena che, lì accanto a lui, ora allattava, ora coccolava, ora cantava certe filastrocche alla piccola Gloria.

Gloria era nata sei mesi prima ed Ettore ne era stato il commosso padrino al battesimo. Il dottor Minelli non aveva sentito ragioni: voleva che Ettore diventasse il nonno che non aveva mai conosciuto e un bisnonno adottivo per la sua bambina.

Il battesimo era stato meraviglioso, e don Giuseppe aveva citato un passo del Vangelo secondo Marco che raccolse il pieno consenso di Ettore. Nel brano si diceva che la gente portava i bambini a Gesù, affinché lui li benedicesse, ma i discepoli cercavano di impedirlo perché a quei tempi i bambini non contavano nulla nella società. Fu allora che Gesù, a detta di don Giuseppe, rispose indignato: «Lasciate che i bambini vengano a me, e non glielo impedite, perché il regno dei Zeli è per quelli che sono come loro. In verità vi dico: chi non accoglie il Regno di Dio come un bambino, non entrerà in esso». Poi il parroco si era fermato a spiegare meglio il significato di quel passaggio.

«Lo capite il senso di queste parole? Dobbiamo continuare a osservare il mondo con la meraviglia e lo stupore con cui zi guarda Gloria in questo momento» si era piegato ad accarezzarle teneramente la fronte. «Guardatela bene: lei è come un piccolo fiore che, per crescere e diventare un forte albero, dipende completamente dal nutrimento e dalla protezione che le date. Capite? Non ha altra scelta che affidarsi totalmente a voi: a te Marilena, a te Alberto e anche a te, Ettore. E così come lei ha bisogno di mettere la sua vita nelle nostre mani, anche noi abbiamo bisogno di vivere nella Fede per raggiungere il Regno di Dio.» Qui il parroco aveva unito le mani e si era impensierito. «Lo so bene, crescendo si diventa diffidenti perché gli ostacoli sono tanti ed è molto fazile perdere la Fede. Ma se manteniamo lo sguardo di un bambino fino al nostro ultimo respiro, rimarremo aperti alla vita e saremo in grado di dare e rizevere amore. E questo che cosa significa, compagni miei? Significa che non z'è mica bisogno di aspettare l'aldilà! Eh no! Il regno del Signore possiamo già crearlo adesso, qui, in questo mondo terreno! Perché il regno di Dio altro non è che il regno dell'amore!»

Allora Ettore questa storia dell'amore che inizia già su questa terra l'aveva capita, si era sentito coinvolto perché a rifletterci, gli venivano in mente diversi esempi concreti che gli erano capitati ultimamente. Aveva sperimentato il trasporto per una donna, il senso di completezza che si prova ad aiutare gli altri e a mantenere la parola data, il coraggio di assumersi delle responsabilità, la bellezza di appartenere a qualcuno. Tutto questo gli suscitava un sentimento di amore per la vita e più provava amore, meno si preoccupava dell'avvicinarsi della morte. Il merito di questo miracolo era da attribuire a Ermenegildo che, con la sua scomparsa, lo aveva costretto a guardarsi dentro. «Svegliati! Svegliati!» gli aveva intimato l'amico in sogno. Solo adesso capiva. Ermenegildo era venuto a dirgli: «Guardati! Fai qualcosa! Tu che sei ancora vivo ti comporti come se fossi morto».

Chissà, forse anche Basilio, presto o tardi, gli sarebbe apparso in sogno per mandargli qualche indicazione utile sul suo proseguimento terreno, magari su come diventare un nonno esemplare.

«Perché non la prendi un po' in braccio, Ettore, sono stravolta!» Dopo pranzo Marilena mise la bambina tra le sue braccia prima che lui potesse replicare. Tenere in braccio Gloria era ancora una cosa che lo scombussolava. La bambina lo guardò smarrita per qualche istante, poi gli regalò un sorriso molto simile al suo: le era appena spuntato il primo dente.

«Falla giocare con questo, le piace da matti.» Marilena gli passò un giocattolo di plastica.

Era un sonaglio a forma di clessidra. Dentro c'erano tante palline colorate: verdi, celesti, arancioni, gialle, rosse, e lilla. Scivolando verso il bulbo inferiore, producevano un suono gentile e rasserenante. Una a una, si tuffavano in quello sottostante a riformare la montagna colorata che si esauriva di sopra. Era una gioia seguire insieme a Gloria il tempo che scivolava via con i suoi colori. Quando anche l'ultima pallina si posò, ci fu un attimo di silenzio e Gloria parve confusa.

«No, piccolina, non devi avere paura, sai? Quando finisce la musica non è la fine del gioco. Basta che fai così, vedi? Proprio così, come faccio io. Guarda.» Ettore capovolse la clessidra e la dolce musica ricominciò.

Note e ringraziamenti

La domanda che mi viene rivolta più spesso a proposito di questo romanzo è come mai a una persona della mia età sia venuto in mente di scrivere una storia "di vecchi". È vero, non posso mettermi completamente nei panni di un anziano che deve fare i conti ogni giorno con i dolori fisici dell'età né comprendere a pieno la solitudine di chi la sera si addormenta pensando che le persone più care se ne sono andate. Ma nei momenti importanti della mia vita, ad accompagnarmi con discrezione c'erano anche loro: i miei nonni e i miei zii. Le lunghe conversazioni con mia zia Ave, le poche ma decisive massime in dialetto incomprensibile di mio zio Renzo, i racconti di guerra di mio nonno Renzo (oggi tutti novantenni) e la compagnia di amici e conoscenti anziani hanno contribuito ad arricchire il mio bagaglio di crescita.

Questo libro è la mia personale e fantasiosa interpretazione di ciò che ho visto, ascoltato e vissuto al loro fianco e un modo per ringraziarli della loro preziosa presenza.

Un ringraziamento speciale va a mia madre Mara, la mia prima sostenitrice e inflessibile segnalatrice di sviste, imprecisioni ed errori di punteggiatura, e ai miei ex docenti universitari Cesare Giacobazzi e Lisa Mazzi che mi hanno spronato ad andare avanti già dai miei primi esercizi letterari.

Ringrazio di cuore Alberto Nones, Alessandra Spirito, Antonella Sestito, Claudio Cumani, Elena Marmiroli, Alberto Bergamini,

Maria Rosaria Corchia, Gabriele Arlotti, Gianni Minelli che hanno letto e valutato con grande partecipazione la prima stesura del libro, e tutti gli amici in Italia e a Monaco di Baviera che in un modo o nell'altro mi hanno incoraggiata; la mia cara amica Maristella Cervi per le profonde conversazioni sui temi religiosi; Licia Giaquinto, Marco Montemarano e Cristina Cassar Scalia per avere ascoltato con pazienza le mie incertezze di esordiente; il Women Fiction Festival di Matera che mi ha regalato tante emozioni in una cornice paesaggistica di incomparabile bellezza, e Maria Paola Romeo per gli utili suggerimenti.

Zoran: per avere ascoltato le mie lunghe e maldestre traduzioni in tedesco di interi capitoli e avermi sostenuto nei miei momenti di smarrimento. Ti sarò sempre riconoscente.

Per la fotografia sul retro di copertina ho trascorso un divertente pomeriggio d'autunno con la mia amica fotografa Andreea Varga a cui va la mia gratitudine.

Non potrò mai ringraziare abbastanza Donatella Minuto che ha creduto subito in questo romanzo e lo ha portato alla pubblicazione. Affidarlo a lei e ad Annalisa Lottini è stata una splendida occasione di miglioramento. Ringrazio tutto il team di Giunti che ha lavorato al libro e in particolar modo la grafica che ha creato per *Quasi arzilli* la copertina più bella che potessi immaginare.